우엉차는 우는 사람에게 좋다

민음의 시　335

우엉차는 우는 사람에게 좋다

박다래 시집

민음사

자서(自序)

목욕탕 타일의 그림이 참 아름답다

물때 낀 바가지 앞에서 나는 집에 갈 시간을 가늠해 보곤 했다

말은 때론 공허하게 중심에서 벗어나고

믿는 것이 없어 아무것도 그립지 않았다

2025년 8월
박다래

차 례

1부

기름 부으심을 받은 자 13
콘셉시온 18
우리 셋은 다 같아 19
두고 온 것 22
레지나와 함께하는 밤 산책 25
어느 낮처럼 선명하게 보일 것이라고 28
메모리얼 서비스 30
절두산 34
오늘의 운세 36
우엉차는 우는 사람에게 좋다 38
열린 문 40
가까운 곳에 사찰이 있어 모기가 적은 편은 아니었지만 43

2부

로스 안데스 49
엘리는 니의 오랜 신생님 52
그것과 무관했다 55
민호에게 집은 현대미술이다 58
그러다가 영원히 못 쓰게 된다고 60
계귀국 62
콕콕 64

아이들은 내가 지나갈 때만 캐치볼을 한다 **69**

존 스몰츠 **70**

야외 수업 **74**

마른 눈 **76**

광교 **78**

3부

부암(付岩) **83**

자연사박물관 **84**

소곤소곤 별 **86**

친구에게 빨간 운동화를 선물했다 **88**

말리부 오렌지색 **91**

지선은 소파를 밖에 내놓는다 **94**

숲과 초원은 아파트가 건설된 후에 만들어졌다 **97**

보호구역 **100**

푸른 살구 **101**

얼어 있는 숲 **104**

한밤의 음독 **106**

자하(紫霞) **108**

암전 **111**

수경 재배 **114**

바깥의 당신은 그것을 모른다 **116**

서치라이트 **118**

4부

남자의 이름은 정수　**123**

구파발　**126**

높은 성　**128**

이사　**130**

노들　**131**

마중말　**134**

지혜 씨의 무화과　**136**

Babushka　**138**

패치워크　**141**

윈드밀　**142**

양고기 스프　**144**

디펜스　**146**

좋은 사촌　**147**

야앵　**150**

해설 – 남진우(시인·문학평론가)

불타는 예배당에서 흰 토끼 구하기　**153**

1부

기름 부으심을 받은 자

*

주유소가 교회가 된다는 소문을 들었다

주유소 땅 아래 기름 탱크
그 기름이 다 탈 때까지
주유소의 불은 꺼지지 않는다고

그곳에서 담배를 피우는 게
왜 옳지 않은지 설명할 때

처마 아래
흰 비둘기들이 모여들었다

흐
르
는

피죤 밀크

> 이제 교회가 되어 버린 주유소에서

기도하는 동안
몇 번이고

가스등이 꺼졌다 켜졌다

*

비가 오는 날
퇴근길에 노란 옥수수 알갱이를 샀다

팬에 옥수수 알갱이를 튀긴다

옥수수 껍질은 단단하고
형광등 불빛에 희미하게 빛난다
희고 검은 것들이 선명하다

기름 냄새가 방 안을 가득 채우고

몇 번이고 입술을 오므렸던 것 같다
유지하고 있던 것들을 버리면서

아주 조금의 탄 냄새

터뜨리는
순간에 또다시 멈춤

나는 가스레인지의 불을 끈다

*

매일 반질반질한 수석을 닦고
어디에 가든 가져올 돌을 찾았다

기억이 쌓이는 곳은 가스레인지 옆

그것의 무게를 가늠하듯
몇 번이고 들었다가 내려놓았다

〉 이해는 하니
절대 타지 않을 것을
타오르는 불 옆에 두고
싶어 하는 마음

우리가 아직 이곳에 머무르지 않았을 때의 이야기를

*

창밖에서 메케한 연기가 들어오고 있다

무겁게 가라앉은 것이 많아
이곳을 떠나지 못한다고 했다

기름 탱크에 물과 돌을 채운다고 했다

아직은 무너진 것들의 속이 비어 있어
사라질 때까지 기다려야 한다고

교회는 오래도록 불탔다

마을엔
말라붙은 유기물이 남았고

콘셉시온

숲으로 가는 길은 길었다. 다섯 번의 히치하이크 끝. 그해 사순절 우리는 모랫구멍에서 거미 낚시를 하며 시간을 보냈다. 나무 클립에 밀웜을 끼우고 구멍 안에 넣으면 그것을 물고 작년의 타란툴라가 따라 나온다. 우리는 러그 위에 타란툴라를 늘어놓고, 러그를 뚫고 땅을 파는 것을 바라본다. 어디서 왔니. 과라니어로 아이들이 말을 건다. 아이의 손에 있는 붉은 상처. 청량한 웃음소리와. 다시 해가 떠오를 때까지 불을 피우고 옆에서 타는 냄새를 맡았다. 묵주기도는 계속된다. 다시 가고 다시 돌아오지만, 돌아갈 수 없는 밤. 우리는 각자의 흙집으로 들어가 진흙 덩어리로 술잔을 빚었다. 아침이면 마당엔 탄 나무들이 가득했다. 구멍이 난 러그에 재를 부으면 재의 수요일이 지나 있었다. 타란툴라가 색칠한 달걀 위에 기어간다.

우리 셋은 다 같아

스스로를 지키기 위해 살아남았지.

눈떠 보니 돌고 있는 놀이기구 위.
수많은 비명이 가득 차 있었지.
아무런 표정도 없이 이곳에서 시간을 보냈어.

이런 게 진짜 사랑이라고. 바람을 가르면서 누군가의 손을 잡고 애쓰는 것이. 이 계절에도 우리는 가장 아름다운 서로의 사진을 담았어.

계절마다 가장 아름다운 장면을 담는 것.
손을 내밀어 있었던 적도 없는 아이를 기다리는 일.
디디고 있는 것이 없는데,
우리 아직 살아 있는 거 맞지?

해가 질 때까지 머물렀지. 빛나는 것은 모두 아름답다고.
젖은 발로 걷는 거리마다 발자국이 빛났어.
친구는 불 꺼진 놀이기구에서 독수리 모양 조명을 가방에 넣었지.

> 대관람차는 돌아가지 않고 빛나고 있는데.

혀에 녹지 않는 곤약처럼
끈적이지 않고 굳어 가던 밤
손등의 주름이 깊어지고

비 오는 놀이동산도 좋고, 빛나는 것도 좋지만
오래오래 살아야지.

색 바랜 파란 담장 앞에서. 수많은 사람들의 이름을 손가락으로 쓸지. 단 한 번도 머무르지 않고 걸으며, 우리는 익숙한 것으로 돌아가고.

운전석에 앉아 혼자만의 시간을 보내면서
익숙한 순간을 기다리지만
함께했던 그 기분을 느낄 순 없어.

빛나는 밤
경외란 이럴 때 쓰는 표현인가.

> 자정이 되기 전에 우리가 한 대화의 마지막은
  시간이라고 끝나 있었는데

두고 온 것

여행지에 신발을 버리고 오면
그곳에 다시 가게 된대

검은 곰팡이가 핀 내 신발을 바라보았다

잠시 멈춰진 시간이 있었다

조용히 시작되던
낯선 골목의 방학

그곳에 오래 머물기로 했다

흰 담장 위
깨진 병조각들
맑은 날인데 비가 내렸다

손끝에 빗방울이 맺혔다

골목을 빠져나오고

﹥ 주머니에 있는 것을
입에 넣고 천천히 씹었다
길목에 신발을 버리다
고양이 두 마리와 눈이 마주쳤다

흰 양말을 신은 발을 바라보았다

발이 큰 웨이트리스가 얼음을
넣은 맥주를 서빙하고

때아닌 우기가 계속되었다

비가 오는 날에는
이미 죽은 자에 대해 생각하기 좋았다

나는 그저 시작될 수 있는 수많은 삶의 경우의 수에 대해 생각했을 뿐인데

골목 끝에는 계단이 있었다

> 높은 곳에서 누군가를 바라보는
기분이 썩 나쁘지 않았고

계단의
화강암이 흔들리고 있었다
그 떨림이 그대로 전달되었다

미끄러움을 조심해
누군가 말했다
나는 돌아보지 않았다

대신

레지나와 함께하는 밤 산책

*

방갈로의 문을 열자
한기가 쏟아졌다

가장 따뜻한 것은 죽은 것뿐이어서
오래도록 토마토 스튜를 끓였다

희미한 빛을 따라 걸으며
한 번도 본 적 없는 얼굴로 나타나는 것이 있다
이런 게 어둠이라면
어둠은 다시 빠져나갈 수 없는 경계인데

리지, 걷고 싶은데
같이 갈래요?

*

밭에서 수확되지 않은 순무가 얼어 간다

스프링클러가 몇 번 내 머리를 적시고
개 한 마리가 스쳐 지나가는 밤

모두가 들을 수 있게 발화하며
한 문장도 빛나지 않을 때,

흐르지 않는 공기

레이스 잠옷 아래
맨다리는 붉다

밤이 긴 이곳에서
얼었다가 녹으며

모든 것은 평범하게 멈춰 있었다

*

잠긴 다리 앞에 서서

흰빛을 보았다, 다만
잔상만이 계속되었다

신발을 벗고
조끼를 털었다
보온병에 든 뜨거운 스튜를 삼켰다

사방에서 휘발유 냄새가 났다
다시 돌아오는 길에 우리는 없을 거예요

산 너머에서 누군가 울고 있었다

어느 신의 소리라는 것을 알았다

어느 낮처럼 선명하게 보일 것이라고

밤새 택시를 타고 어딘가를 가는 꿈을 꿨어. 택시를 하도 많이 타니까 꿈에서도 택시를 타나 봐. 꽤 긴 시간이었고 생생했어. 우리는 서울의 여기저기 골목을 다녔는데, 여기가 서울인지 아닌지 의심스러울 때도 있었어. 나는 어째서 연주도 할 줄 모르는 현악기를 들고 있었을까. 빨간 벽돌 담장과 그 위에 늘어진 죽은 넝쿨. 어떻게 자는 동안 이런 걸 만들어내지. 물었고. 이미 나는 죽었는지도 모른다고 생각했어. 자동차 앞 유리에 마른 잎이 쏟아지고

택시 기사가 쉼 없이 이야기를 건넸어. 한강에 있는 철교의 개수. 오래전 침수되었던 상수동. 상가가 유사시에 요새로 쓰일 수 있다는 이야기와. 언덕과 언덕은 서울을 만든단다. 언덕 아래는 자주 수몰되었고, 잠길 때마다 아이들의 키가 조금씩 자랐다. 그래서 언덕 아래의 아이들이 언덕 위의 아이들보다 크다는 법칙. 골목은 너무 좁고 우리가 탄 차는 아주 간신히 그곳을 지나가. 제발 좀 사이드미러를 접으라고 내가 말했던 것 같아.

이것도 모두 만들어진 것은 아닐까. 어차피 우리는 꿈

인 줄 모르니까. 현악기 위에 내 손가락은 움직이고 있었지만 아무 소리도 나지 않았어. 소리를 만들기 위한 시도가 모두 실패하는 걸까. 지금 생생한 것은 목소리뿐인데. 나의 키는 조금 작고, 잠길 일이 없어서.

오늘 밤에도 그 택시를 탈지 모르지. 집 앞에 강이 흐르고 있는데 그곳을 어떻게 건넜을까. 강가에 미색 돌들이 빛나고 있어. 창밖 연기가 생생해. 누구도 끄지 않는 불. 잠들어 있을 거야. 그 안온한 시간 동안. 택시를 타고 어딘가로 갈 때까지. 모든 것이 타기 전에 다시 어딘가로. 강의 깊은 곳으로.

메모리얼 서비스

향을 피우고 지내던 나날이었다

나에게는 검은 옷이 어울린다고 했다
그 외에 어울리는 색은 없다고

이곳에서 나는 양말을 벗지 않았다
주황빛 뱀과 만나 기꺼이 발목을 내어 주고
잠시 멈춘다

문어를 씹으며
바람이 쓸어 가는 모래알들을 바라본다

방 앞에 놓인 수많은 신발을 정리하는 밤
마루 위에서 발목들이 꺾이고

불러 줘서 고마워요
와 줘서 고맙지

진실과는 가장 먼 이야기

› 국 안에서 퉁퉁 불어 가는 토란처럼
구겨진 채 말라 버린 행주처럼

이 순간의 발화자는 나
마루에 자국을 남긴다

손이란 건 참 좋아 잡을 수 있으니까
그렇지만 너무 멀리 있을 때가 있지

나에게는 출신이랄 게 없지
나는 이곳의 사람 혹은
가장 먼 곳에 있었던 사람

가장 깊은 땅까지
걸어가며 이야기를 나눈다
발목들의 밤
물이 고이는 밤
나눌 게 더 이상 없던 밤

> 깊은 절에 들어가
기억을 담아
물성 없는
흰 연등을 걸어 놓았다
빛나고 있을

연못에서 피어나는 꽃
몇 바퀴나 돌았다 이름을 발견할 때까지

어떤 기획도 없이
우리는 매일 스러져 가고

잠들지 못할 것들의 울음을 듣는다

저는 아무것도 되지 않더라도 믿어요

보고 싶었으니까
그 믿음이 우리 사이에 오래 머무르니까

흰옷을 입은 아이들이 지나간다

운이 좋았다

연등 뒤로 빛나는 방이 있었다
그 안에 나의 자리가 있을 것 같은데

절두산

 진선과 시멘트 바닥에 앉아 물을 바라보았다. 목이 시렸다. 철교 위에 전철이 지나가고 있었다. 물 가까이 있는 사람들은 모두 함께 떨림을 공유했다. 어쩐지 이 평화가 낯설지 않니 물었고. 진선은 작게 노래를 흥얼거렸다.

 진선. 나는 어느 해 철로를 따라 달려가는 고라니를 본 적이 있어. 기차의 뒤를 따라가다 나와 눈이 마주쳤어. 터널로 사라졌어. 그 다음은 내가 알지 못하고.

 진선은 철교의 끝이 보이지 않는다고 했다. 발아래까지 물이 침범했다.

 무기력할 때에는 몸이 시키는 것과 반대로 하면 된대. 나는 잡았던 진선의 손을 놓았다. 노래를 부르고 싶으면 삼키고. 속이 시끄러우면 입을 열고. 아무것도 하고 싶지 않으면 무어라도 하면 된대.

 진선이 말하는 동안 물 위에 빛의 파동이 번졌다. 검고 붉게. 진선은 어깨에 머리를 기댔다. 낮은 목소리와 함께. 전철 하나가 철교 위를 지나갔다.

빛은 멀리에서부터 스러졌다. 바람 따라 비눗방울이 흔들리고. 나는 진선을 업고 천천히 걸었다. 잘린 잔디가 발에 달라붙었다. 굴다리 아래에서 밝은 송곳니들이 빛났다.

나는 손짓했다.
믿어 주리라고 생각했다.

오늘의 운세

 오전의 따가운 햇살로 하루를 시작하는 일 나의 맨발을 핥는 개 그 혀를 사랑하며 후라이팬에서 나는 버터 냄새를 맡으며 녹은 버터에 버무린 페투치네를 먹으며 하루를 조금도 미워하지 않고 하루를 다시 사랑하지 않고 사랑하지 않는 사람을 위해 금주의 별자리 운세를 읽고 바퀴 굴러가는 소리가 나는 침대에서 짧은 잠을 청하며

 물이 끓는 소리를 듣지 않기 위해 음악을 틀며 미워하지 말아야지 도와줘야지 생각하며 더 이상 나의 일이 아니라는 생각을 하며 개의 고소한 발 냄새와 함께하는 일 꿈의 심연을 바라보며 전화를 받지 말아야지 생각했다가 전화를 받으며 잘못 눌렀다는 이야기를 듣고

 전봇대 그림자 안에서 전화를 받은 것을 후회하며 빛의 움직임에 따라 온갖 냄새들 입으로 오물거리던 공기를 계속 뱉어 내는 일 소리의 진원지를 향해 다가가는 일

 환한 하늘에서 쏟아지는 비를 바라보며 나의 앞에 있는 것들에 대해 소리 내어 하나씩 이야기하며 창가 쪽으

로 몸을 기울이는 일 아무도 귀 기울이지 않을 것이라는 생각을 하며 매미 소리와 바퀴 소리에 목소리를 묻는 늦은 오전

 입만 남은 채 점점 더 투명해지는 나의 몸과

우엉차는 우는 사람에게 좋다

여름에 나는 그 남자를 만났습니다. 그것에 대해 생각합니다. 나는 스물세 살 여름이 기억나지 않습니다. 그때 나는 그 남자를 만났습니다.

책을 가지고 있는 남자가, 책을 읽지 않는 남자가 있었습니다. 남자의 무릎에는 책이 놓여 있고 남자는 책이 놓여 있는 무릎을 움직이고 있었습니다. 어느 오후의 연못에서 남자는 붉은 옷을 입고 있었습니다. 남자의 이름은 오후의 연못, 오후의 연못의 남자. 커다란 종이 있었고 그 종은 오랫동안 울리지 않았지만 조금의 푸른 빛을 띠고 있었습니다. 남자의 이름은 오후의 연못, 오후의 연못의 남자.

남자는 벌을 먹을 줄 알았습니다. 남자는 부은 혓바닥을 내밀며 나를 사랑해 달라고 계속 사랑해 달라고 했습니다. 나는 벌을 먹지 말라고 말했지만 남자는 어쩔 수 없다고 말했습니다. 남자는 사랑을 갈구하며 벌을 먹는 존재이기에. 부은 혀로 내 손등을 핥아 주었습니다.

부은 남자를 안고 뛰었습니다. 부은 혀의 남자. 혀를 입 안에 넣지 못하는 남자. 바람에 흔들리는 남자. 얼마나 뛰었을까요? 내 품에는 남자가 없었습니다. 낯익은 하얀 새가 신발 위에 앉아 있었습니다. 하얀 새의 날갯죽지를 잡으며 나는 미안하다고 용서해 달라고 했습니다.

나는 처음 하는 일을 아주 잘하니까요.

우엉차는 우는 사람에게 좋습니다.

열린 문

예배당이 타는 꿈을 꿨다 페인트가 불에 녹아내리고,
지붕널이 맨 마지막에 깨졌다
그 뒤로 펼쳐진 가문비나무 숲

타서 재가 될 때까지 그곳에 서 있었다

늙은 개가 다가와 몸을 비볐다
손끝으로 개의 털을 쓸었고 아무것도 느껴지지 않았다

그곳은 너무 아름다워
그곳에 있을 때
본 것에 대해 말하지 못했다

늙은 개가 졸고 있었다
나는 꿈속과 다른 이름의 사람
정말 나의 이야기였을까
늙은 개가 고개를 저었다

아무도 돌아올 시간이 아닌데

활짝 열린 현관문 안으로 바람이 들어왔다

차를 끓였다

흰 종잇조각들이 문안으로 침범했다
그것에 적힌 수많은 기호와 숫자들

무언가가 도착하기 전까지 짐작조차 할 수 없었던

바둑판 앞에 앉아
빛이 방을 따뜻하게 데울 때까지
늙은 개와 오목을 두었다

미지근한 차를 머금었다

나쁜 일이 일어나지 않았는데

일어날 일에 대해 이야기했다
붉어지는 빛, 흐려진 방

늙은 개가 어둠에 안겨 하얗게 빛났다

가까운 곳에 사찰이 있어 모기가 적은 편은 아니었지만

버스를 타고 홍지문을 지나고 있을 때
누군가가 내 이름을 불렀다
내렸을 때 나는 언 발로
흰 개와 함께 걷고 있었다

나의 가까운 미래였다

희미한 한기를 머금은 시간
내 주머니에 든 것은 작고 단단한 돌뿐이었을까
사찰이 있어 모기가 적은 편은 아니었지만*

단지 오래됐다는 이유로 가치가 증명될 수 있다면
나는 고려시대의 이름을 가졌지

오래된 운석으로 조각한 좌상
닳고 닳은
석가여래 옆에서

흐르는 천에 소원을 던졌다
소원은 익숙한 방식으로 이루어지지는 않아
향을 피우는 시간

아름다운 것만으로
미래가 증명된다면
멀리서도 그 희미한 빛을 볼 수 있기를

*

개천의 다리에서
어쩌면 내가 너무 오랫동안 살았는지도
모른다는 생각을 했다

어릴 때부터 내가 꿈꿔 왔던 삶을
느리게 살아왔을 뿐인데
계속되고 있고

함부로 삭이지 않는 동안,

함부로 보랏빛에 대해 말하지 않는 동안

흰 개가 다리를 건넜다
천 너머에 미래가 있었다

숨으로 가득한 곳
살아 있는 곳
걸어가는 곳

내가 이기적인가요

도무지 지나칠 수 없는
다리에 머무르며

죽은 자들의
이뤄지지 않은 소원이 나의 몸을 감싸고
흔들고

* 히구치 이치요, 『배반의 보랏빛』.

2부

로스 안데스

 마추픽추의 시계탑에 오른발로 서 있는 프란츠 봐이츠 씨는 오랜 여행을 마치고 안데스산맥을 바라보았다. 그는 항상 씹는담배를 달고 있었는데 그것은 리우데자네이루 공원의 바르쿠 연못에서 주워 온 것으로, 직사각형의 시멘트 바닥과 가장 잘 어울렸다. 그는 높은 곳에서 수많은 관광객과 마주하며 '나는 왜 영화 속 주인공처럼 혼자 광야에서 헤맬 수 없는가'를 한탄했다. 그것은 혼자 여행하는 관광객 특유의 순진함과 깊은 상관관계가 있었다. 프란츠 봐이츠 씨는 왼발을 내려놓고 자신의 옆에 놓인 크리스털 정육면체 상자를 바라보았다. 흙먼지가 빛과 함께 상자 안에 고였다.

 프란츠 봐이츠 씨가 여행을 하기로 결심한 것은 꽤 오래전의 일이다. 우중충한 독일의 날씨에서 벗어나고 싶다, 그것이 프란츠 봐이츠 씨를 움직이게 했다. 그는 전 유럽을 돌아다니며 크리스털 정육면체 상자를 창밖에 내다 놓았다. 그것 속에 날씨의 일부를 담을 수 있다고 믿었다. 전 유럽의 날씨를 상자에 담은 어느 날 그는 스페인에서 브라질로 가는 비행기 티켓을 끊었다. 스페인에서 배운 서툰 스페인어 몇 마디가 그를 쉽게 남미에 머무를 수 있게 할 것이라고 착각하며.

처음 리우데자네이루의 공항에 도착한 프란츠 봐이츠 씨는 가장 가까운 호스텔을 찾았다. 포르투갈어를 한마디도 하지 못하는 그는 구글 번역기를 열심히 돌려 가며 젊은 택시 기사에게 호스텔로 데리고 가 달라고 했다. 택시 기사는 고개를 끄덕이며, 빠르게 액셀을 밟았다. 프란츠 봐이츠 씨는 입술을 깨물며 비명을 삼켰다. 그 순간에도 크리스털 상자는 백팩에 매달린 채 흔들리고 있었다.

그는 거리에서 유럽의 날씨를 담아 온 크리스털 상자를 팔았는데 브라질 사람 누구도 유럽에서 담아 온 작은 먼지와 날씨를 갖고 싶어 하지 않았다. 그에게 관심을 가진 것은 다른 관광객들과 길을 잃은 개들뿐이었다. 그는 길 잃은 개들에게 애플시나몬 크럼블을 나눠 주며 환심을 샀다. 그중 콜리 종인 티티가 유독 프란츠 봐이츠 씨를 따랐다. 브라질을 벗어난 후에 그는 볼리비아를 거쳐 페루로 넘어갔다. 프란츠 봐이츠 씨는 가는 곳마다 소년들과 함께

축구를 했는데, 그의 축구 실력은 이제 독일 축구의 미래가 없다는 생각이 절로 들게 했다.

　마추픽추에서 내려온 프란츠 봐이츠 씨는 페루의 한 사립학교 교사인 마떼오 페르난도 씨를 만났다. 잉카의 역사를 가르치는 그는 프란츠 봐이츠 씨의 딱딱한 스페인어를 듣고 그 누구보다도 독일어를 잘할 것이라고 생각했다. 프란츠 봐이츠 씨는 이제 안데스 구릉지대에 지어진 사립학교에서 독일어를 가르친다. 그는 형편없는 스페인어 발음으로 페루의 학생들에게 독일어를 가르쳤는데 그의 과도한 친절함은 많은 학생의 손에 분필을 쥐여 주었다. 프란츠 봐이츠 씨는 해 질 녘이면 티티와 함께 학교 뒷산에 올랐다. 구름으로 가득 찬 유럽의 날씨를 손에 쥐고, 마침내 번 돈으로 무엇을 할지 혼란스러워하며.

엘리는 나의 오랜 선생님

 엘리는 절벽 시를 썼고, 나는 언덕 시를 썼다. 엘리는 나와 작은 집에 들어가 차를 마셨다.

 세상은 너무 고요하고 조금씩 입을 여는 것은 그래서. 차를 마시는 동안 상처 난 목련 꽃잎들이 책상 위에 떨어진다.

 나는 인센스를 피운다.

 인센스 위로 물방울이 떨어진다. 물이 새는 방. 매캐하게 번지는 카라 향. 나는 빈 꽃병에 고이는 것을 본다. 잠이 들면 꿈에서 이야기할 수 있겠지. 방 안에는 기억이 있고, 나는 그것을 곱씹고.

 엘리는 매번 새로운 시를 쓴다. 엘리의 손에는 해오라기 깃털 펜이 들려 있다. 엘리, 엘리는 어떻게 모두가 잠들었을 때에도 계속 써요? 여기서 잠이 든 사람은 나뿐인데. 엘리는 어쩜 그렇게 쓸 말이 많은지.

나는 쓸 말이 많아. 그건 비극이지. 늘 실패하니까.
인센스는 타오른다.
엘리의 말을 삼키며 나는
빈 꽃병에 상처 난 마음을 욱여넣는다.

저는 자는 동안에도 써요.
제 머리의 한 부분은 늘 생각으로 타오르고 있어요.
방은 연기로 가득 찬다.
나는 집 문을 연다.

우리가 있는 집은
언덕이면서 절벽에 있고
문밖에는 상하고 젖은 것들이 가득한데

인센스 스틱은 고꾸라진다.

나는 집을 나와 절벽 쪽으로 걸어간다.

몸이 물로 흠뻑 젖는다.

> 등 뒤에서 엘리의 펜촉 소리가 들린다.

재 묻은 손가락을 펴며
절벽 아래를 바라보며
나는

그것과 무관했다

　제임스 스타인 씨는 1924년생으로 아들의 집 일 층 방에 머물렀다. 작은 창문 밖으로 담쟁이넝쿨이 자라고 있었다. 넝쿨에는 수많은 잎이 빽빽하게 돋아 있었는데, 그것은 O. 헨리 소설에 나오는 넝쿨의 처절함과는 거리가 있었다.

　제임스 스타인 씨는 마지막 세계대전에서의 자신을 생각했다. 그때 그는 수송병이었다. 그에게는 필립이라는 친구가 있었다. 필립을 떠올릴 때마다 그의 얼굴보다 생몰연도가 먼저 떠올랐다. 필립 슈미츠 상병(?~?)은 제임스 스타인 씨와 같은 종교를 가지고 있었고, 사실은 신을 정말 '믿고' 있지는 않았다. 그것이 그들의 유일한 공통점이었다. 제임스 스타인 씨는 불면증을 앓고 있던 필립과 막사에서 밤새 개구리 울음소리를 듣다가 잠이 들었다.

　저녁이면 음식물 쓰레기 분쇄되는 소리가 제임스 스타인 씨의 방 안을 가득 채웠다. 그 소리가 들릴 때마다 제임스 스타인 씨는 필립의 유해가 담긴 참스 캔디 통을 열어 놓았다. 좋았을 때가 있었지. 나에게도. 모두 무너져도 좋았을 때가. 제임스 스타인 씨는 성모상 앞 타이트에 불을 붙이고 아주 잠시 눈을 감았다.

 필립은 기쁠 때도 슬플 때도, 제임스 스타인 씨와 함께였다. 결혼식에서도, 전쟁 후 트레일러 기사로 일할 때도. 그 트레일러에서 서부의 하늘을 바라보며 잠이 들 때도. 성모님이 필립과 함께하시길. 그는 티라이트가 꺼질 때까지 그대로 두었다. 방 안은 늘 싸구려 바닐라 향으로 가득했다.

 제임스 스타인 씨는 하루에 한 번, 거실로 가 손자의 닌텐도로 유로 트럭을 몰았는데 그것이 그의 가족 모두를 불편하게 했다. 유럽의 도로는 그가 전쟁 때 달렸던 그곳과 크게 달랐다. 그는 수많은 나무를 지나 속도 제한 없는 고속도로를 달렸다. 직선으로 뻗은 도로. 아무것도 없을 때 가장 아름답다고. 제임스 스타인 씨는 참스 캔디 통의 필립에게 작게 속삭였다.

 죽음은 어디에나 있었다. 열린 문틈으로 들어오는 노란 가루들과 흩날리는 필립의 유해들이 제임스 스타인 씨를 불편하게 했다. 그는 알레르기 때문에 좁아지는 기관지로 간신히 숨을 내쉬었다. 단 한순간도 제대로 숨을 쉴 수 없다고. 나를 둘러싼 공간만이 나를 힘들게 한다고. 그런 생각이 들 때마다 제임스 스타인 씨는 필립의 마지막에 대해 생각했다.

잠든 필립은 아름다웠다. 제임스 스타인 씨는 필립과의 마지막 대화를 떠올리려고 애를 쓰며, 캔디를 입에 넣었다. 제임스 스타인 씨는 손자가 컨트롤러를 뺏을 때까지 오래도록 거실에 앉아 있었다. 단물이 막힌 기관지에 고일 때까지, 어떤 생각도 들리지 않을 때까지.

유럽의 도로에서 필립은 잠든 채 죽음을 맞이했다.
그것은 전쟁과는 무관했다.

민호에게 집은 현대미술이다

그의 집에는 많은 통로가 있다. 통로에는 흰 토끼들이 산다. 창밖에서 서치라이트가 비춘다. 흰 토끼들이 일순 멈춰 서고 형광등이 꺼졌다가 켜졌다. 흔들리는 코튼 커튼. 민호의 집에서 빛은 보존된다. 민호는 이것이 현대미술이 될 수 있을지 생각하며 작은 토끼를 품에 안는다.

서치라이트가 멀어졌을 때 스탠드 하나가 켜진다. 따뜻한 노란 등 아래에서 민호는 토끼를 내려놓는다. 동그란 토끼의 똥이 마룻바닥에 굴러다닌다. 토끼는 물을 적게 먹고 마른 똥을 싼다. 토끼들은 가볍게 달리기 위해 수많은 똥을 빼냈다고 한다.

토끼로 가득한 복도와, 어두운 민호의 집. 밤의 시간. 쏟아지는 털들. 내가 떠나면 이 집에 가장 오래 남는 것이 그것뿐이겠군. 너희들은 밝은 곳에서 나는 어두운 곳으로 자꾸. 민호는 중얼거리며 천천히 걷는다.

가볍게 달리는 토끼 그것을 쫓는 민호의 발걸음. 민호는 숨을 깊게 들이마셨다가 내쉰다.

> 민호는 방을 찾는 것을 멈춘다.
가능한 오랫동안 복도에 머물기로 결심한다.

복도를 걸으면 복도가 갈라지고 조금만 걸으면 또 다른 복도가 나타난다. 복도에는 상한 빛이 보존된다.

복도와 빛. 빛의 복도.
흰 토끼들이 민호의 발끝을 핥는다.

민호는 사랑할 수 있는 것만 사랑하겠다고 생각하며 복도에서 눈을 감는다.

그러다가 영원히 못 쓰게 된다고

이물감에 운전대를 놓았다가 다시 잡았다
나는 차를 멈췄다
자동차 앞 유리에는 새벽이 내려앉아 있었다

이 시간에 여길 오게 되다니 돌담길 앞에서
이영은 천천히 한 바퀴 돌았다
이영의 양 어깨에선 하얗고 굵은 소금이 흘러내렸다
나무도 발소리도 없던 길
가까이에서 그 길을 걷는 우리는

누가 우리를 불렀지

묻지 않기로
별을 본 기억은 없으니

영혼이 맑은 자는 먼 곳을 바라본다고,
우리는 모르는 늙은이가 준 술잔을 입에 갖다 댔다
처음부터 우리는 없었던 것처럼 이영은

어제와 같은 길을 걷고 있었다
번져 있는 흰 불빛을 바라보며 아름답지 않니

나는 아무것도 채워지지 않았다

벗어 놓은 이영의 운동화엔 가로등 불빛이 고여 있다

계귀국(鷄貴國)

 이 사건은 오후 여덟 시 반에 수학학원을 나선 아이로부터 시작된다 이차방정식을 못 풀어서 나머지 공부를 했던 아이가 하는 일은 개천을 내려다보기 혹은 물 없는 개천 앞에서 머리카락을 자르기 개천 바위에 흐트러지는 머리카락 빨간 고무줄 언니 언니 정말 왜 그래 굳은 아이스크림을 들고 지나가는 언니에게 면박 주기 아스팔트에 굳어 있는 녹은 아이스크림 그 위에 새겨진 새의 발자국

 주택가에서 날아다니는 닭과 만나는 일련의 사건들 보안등 위에 앉아 있는 닭 혹은 보일러실에 숨어 죽은 척하는 닭 개를 타고 돌아다니는 닭 잠든 고양이의 수염을 뽑는 닭들 노란 불빛 아래 흩날리는 솜털 무겁게 가라앉는 여러 색 깃털 잠든 청색 닭과 또 다른 검은 닭과 싸우는 사람들

 할 말이 없으면 접속사가 많아지죠 이를테면 그러나 그래서 다시 이를테면 할 말 없는 아이는 닭을 만나고 그리고 닭은 할 말 없는 아이를 만나서 그들은 담장을 사이에 두고 대치하죠 화낼 테면 화내 봐 부리 위에 뚫린 두 개

의 구멍으로 간신히 숨 쉬는 주제에 담장에서 뛰어내리는 닭 다시 날아오르는 닭 아이의 손등 붉은 상처 두 마리 닭의 날갯죽지를 잡고 걸으면

  너 저녁도 안 먹고 어디에 있었어 고무장갑을 낀 엄마가 골목으로 뛰어나온다 얘네는 저녁거리는 아니고 애완동물이야 목줄을 채워 매일 산책시킬게 책임질 거니까 걱정하지 마 정말 책임질 거야 체념한 듯 늘어져 있는 닭, 아스팔트 위에 굴러가는 흰 달걀 그 말랑한 껍질 너 정말 왜 그래 엄마는 네가 안 그래도 힘들어 엄마는 그냥 힘들어

콕콕

             *

물가에서 무언가를 먹을 때마다
새에게 뺏기는 버릇

지원과 나는 수많은 새의 원성을 들으며
운하에서 샌드위치를 먹는다
때마침 비가 내렸고
드물게 취하지 않았는데

콕콕

손등에는 물새의 부리 자국이 선명하다

그날, 우리는 낡은 숙소의 침대에 누워
히치콕의 새를 보았다

히치콕은 마음이 여려 수많은 새에게 공격받았고
그것이 그의 영화가 되었다

> 지원은 체리콕을 마셨다

모든 것이 공교로웠다

*

거리의 새는 치킨을 물고 가고,
거리의 새는 바게트를 물고 가고
거리의 새는 쥐의 사체를 뜯어먹는다

이제 거리의 새는 숙소 창문에 있다
끔찍한 소리로 짖으며

"나는 월트 디즈니를 부러워했답니다. 그는 오로지 카툰만 그리지 않아요? 만약 배우가 미음에 들지 않으면 찢어 버릴 수도 있고 말입니다."

나는 오로지 히치콕에 대해 말하고,
마음에 들지 않으면

> 언제든지 지원과의 대화에서
그를 새에게 놀라는 심약한 미술학도로 만들 수 있다
최악의 로맨스를 상상하는
가톨릭 신자로도 만들 수 있고
누군가를 한 번도 사랑해 보지 않았다고
상정할 수 있다

흐름 없는 로맨스와
끔찍한 대사들

히치콕의 세계에서 사랑은 갑작스럽게 시작되니까
공포의 대상으로 환생하니까

*

지원은
작품에서 빛나는 대사를 찾는 것보다
괜찮은 서사에 천착하는 쪽이었다

솔직하게 말해야 해
너는 당하는 쪽이야? 가하는 쪽이야?
아니면 들어주는 쪽이야? 말하는 쪽이야?

아마 당하는 쪽이겠지만 가하는 쪽이라고 말할래
그게 서사적으로 맞으니까

희망하면 변화된 삶을 살 수 있을 거라는 믿음
서사적으로 옳으면 괜찮아진다는 믿음

그렇게
해마다 나의 머리카락은 짧아지는데
지원의 머리카락은 길어진다
도대체 왜

길어지는 것도 변화잖아
그걸 잊은 것처럼 왜 그래

네가

새에게 쫓기다가
나로 환생할 수 있는 것도 아니잖아
모르는 것처럼 왜 그래

창문을 열자 새들이
방 안으로

콕콕

아이들은 내가 지나갈 때만 캐치볼을 한다

    동생은 하루에 한 그루씩 창문 앞에 묘목을 심는다고 했다. 창문에 잎이 부딪히는 것이 좋다고. 곧 커튼을 따로 달지 않아도 될 거야. 동생은 웃었다. 나무가 다 자라는 데 이십 년이 걸리는데 그때까지 살아 있을까. 내가 물었고, 동생은 그래도 살면 된다고.

    창문 앞에서 낮잠을 자면 묘목의 꿈을 꿀 수 있다. 동생의 빛나는 이마 위로 사슴벌레 한 마리가 기어갔다. 묘목의 꿈은 장마철 강에 잠긴 버드나무. 오래된 주목으로 만든 개구리. 그리고 여러 마음으로 모은 비슷한 이름의 사람들.

    잠든 동생을 두고 걸었다. 사슴벌레 한 마리가 따라왔다. 같은 곳을 하루에 다섯 번씩 산책하며 차가운 운동기구에 몸을 맡기는 사람들. 운동기구 사이로 투명한 나의 그림자가 드리워지고.

    아이들은 내가 지나갈 때만 캐치볼을 한다.
    공이 묘목 위로 날아간다.

존 스몰츠

 매일 사물을 따라 그리는 남자가 있었다 그 남자의 이름은 존 스몰츠 버스로 이동하고 팔백 미터 이상 절대 걷지 않는다 직업은 일러스트레이터 꽃을 따라 그리고 개를 따라 그리고 자전거를 따라 그린다 그가 그리는 그림은 모두 색이 번져 있고 그건 자기가 가만히 선 채 세상을 바라보지 않기 때문이라고 뻔뻔하게 말하며 노약자석에 앉아 발끝으로 구겨진 콜라 캔을 굴리는데 어쩐지 사람이 아닌 것 같기도 했다

 같은 도시에 사는 존 스몰츠의 어머니는 존 스몰츠의 여동생과 버스 정류장에서 일 킬로미터 떨어진 곳으로 이사하고 그를 저녁 식사에 초대했다 그것은 존 스몰츠를 분노케 했으나 그가 할 수 있는 일은 별로 없었다

 존 스몰츠는 서쪽 해변에서 해를 보며 자신의 치와와와 아침을 맞았는데 그게 자신의 삶과 무슨 상관일까 생각하며 버스를 타고 매일 집에 돌아왔다 그는 해돋이 그림을 그렸는데 태양의 외곽선이 선명하게 드러나 있었다 저녁 식사 자리에서 그는 여동생과 어머니에게 서쪽 해변에

서도 해가 보인다고 다만, 조금 늦게 뜰 뿐이라고 말하며 그림을 보여 주었다 그들은 믿지 않았다

존 스몰츠는 진정성 있는 눈동자로 그들을 쳐다보았다 그는 그가 정말로 할 수 있는 일은 무엇일까 생각하며 오렌지 껍질을 깎았다 존 스몰츠는 에코시스템조각을 전공했는데 전공에 에코가 들어갔다고 해서 그가 오렌지 껍질을 반듯하게 벗기는 것은 아니었다

자전거 그림을 완성한 존 스몰츠는 발코니에서 일본산 파꽃을 따라 그리기 시작했는데 꽃의 모양이 너무도 보송보송해서 따라 그리는 것이 쉽지 않았다 파꽃에는 항상 꿀벌이 앉아 있어 그리는 동안 특별히 긴장을 해야만 했다 존 스몰츠의 치와와는 파꽃을 노렸다 존 스몰츠는 발코니에 치와와가 나오는 것을 금지했지만 치와와는 쉽게 그의 영역에 침범하곤 했다

존 스몰츠는 발코니에서 오후의 햇살을 맞으며 빨갛게 익어 갔는데 그가 에코시스템조각을 전공했기에 자연물

을 좋아할지 모른다고 처음으로 생각했다 존 스몰츠의 치와와는 파꽃을 으적으적 씹어 먹었다 존 스몰츠는 망연자실해서 파꽃의 잔해를 바라보다가 내가 할 수 있는 일이 무엇일까 생각하다가

앞집 발코니를 바라보았다 한 남자가 웃통을 벗은 채 선글라스를 끼고 흰 플라스틱 의자에 앉아 있었다 꿀벌이 남자에게로 날아갔지만, 그 남자는 잠이 들었는지 가만히 있었다 존 스몰츠는 연필을 든 채 남자를 계속 바라보았지만 남자를 그리고 싶은 마음은 조금도 들지 않았다 존 스몰츠는 곧 그 남자가 자신에게 욕을 할 것을 알지 못했다

존 스몰츠는 욕하는 남자에게 함께 커피를 마시지 않겠냐고, 최근에 로스팅한 맛있는 원두가 있다고 말했지만 그것은 남자를 더욱더 화나게 만들 뿐이었다 존 스몰츠는 발코니는 당신의 공간만은 아니라고 나도 눈을 뜨고 내 공간에 있을 수 있다고 말했지만 치와와가 짖어 대는 통에 그의 목소리는 조금도 남자에게 들리지 않았다

〉 파꽃을 따라 그리기 실패한 존 스몰츠는 아마존에서 『세밀화로 보는 식물의 세계』를 주문했다 존 스몰츠는 그림을 보고 그림을 따라 그리기 시작했는데 그 그림의 모습이 너무도 선명하여 그는 외곽선이 분명하고 반듯한 그림을 완성하게 되었다 존 스몰츠는 그림을 따라 그리는 사람으로 유명해졌고 그림을 본 출판사에서 그에게 그림을 의뢰했다

이제 존 스몰츠는 『세밀화로 보는 심해어의 세계』를 그리고 있다 존 스몰츠는 심해어를 직접 보지 못했지만 구글에서 심해어의 그림과 사진을 찾아서 따라 그리는데 그 그림들이 너무도 선명하여 많은 사람이 좋아하게 되었다 그는 에코시스템조각을 전공하였기에 이런 그림을 그리기 아주 적당하다는 생각을 하며 서쪽 해변에서 해를 보며 매일 아침을 맞고 있다

야외 수업

마른 보랏빛 꽃잎이 흩날리는 계절이었다
늙은 교수는 등나무 아래에서 수업을 했다

여러분이 지금 느끼고 있는 떨림이
수십만 년 전의 그 작은 파동일지도 모릅니다

중력파에 관한 이야기를 듣다가
담을 뚫고 나온 바위에 대해 생각했다

교수는 잠시 먼 곳을 바라보았고
그 끝에는 사당행 열차가 있었다 빈자리가 있는

오늘 수업은 여기까지
기분이 안 좋아서요
늙은 교수가 일어났고
우리는 책을 덮었다

아무도
퇴직을 앞둔 교수에게 질문을 하지 않았다

사람들은 황급히 흩어졌다

가장 마지막으로 일어나며
나는 걷는 것은 언제나
만만치 않다고 생각했다

마른 눈

　오면서 눈이 그쳤다고 했다. 친구는 왼손으로 자신의 머리카락을 훑었다. 머리카락에서는 마른 눈이 떨어져 부서졌다. 친구는 금붕어를 한 마리 더 키우지 않겠냐며 나에게 작은 어항을 주었다. 자신은 이미 사진을 찍었기에 키울 필요가 없다고. 금붕어는 오랫동안 물과 마른 눈이 있는 곳에서 헤엄쳤다. 어항 속 금붕어의 몸통은 기름지게 빛나고 있었다.

　새 금붕어는 금세 오래된 금붕어들을 밀고 다녔는데 그것은 금붕어들이 봄처럼 느리게 움직이게 했다. 봄처럼 나른하게. 금붕어는 입안에 한 번에 들어가는 것들만 삼킨다. 금붕어의 비늘은 반투명하고 금붕어의 비늘은 동그랗고 그것들은 금붕어의 입에 한 번에 들어간다.

　따뜻한 날이면 금붕어들을 집 앞, 작은 구덩이에 내다 놓았다. 금붕어는 한 마리씩 사라졌다가 한 마리씩 생겨났다. 까치가 물고 가기도 했고, 비 오는 날에 하늘에서 떨어지기도 했다. 나는 사라진 것에 대해 생각하는 대신 헤엄치는 것들을 바라보았다.

〉 자고 일어나면 구덩이에 금붕어들의 비늘이 떠다녔다. 나는 어째서 그 비늘을 아직 삼키지 않았는지 궁금해하며 반투명한 기름에 비늘을 모아 놓았다. 햇빛이 드는 창문 앞, 금붕어의 비늘은 기름 속에서 천천히 움직였다. 나는 오랫동안 창문을 떠나지 않았다.

광고

 미영 씨는 좋은 여동생이었다. 신도시 아파트에서 캡슐 커피를 내리며 혼자 죽어 갈 자신의 언니를 떠올렸다. 남편과 딸은 외출했고, 미영 씨는 그들에게 일정이 있다는 것을 의심했다. 창밖으로는 노란 꽃가루가 날렸다. 그것이 저층인 미영 씨의 집 창문에 달라붙었다. 노란빛을 통해 창밖을 바라보는 미영 씨. 미영 씨는 살을 벅벅 긁으며 꽃가루가 만든 문양을 바라보았다.

 집 창밖으로 무덤이 보였다. 보상 없는 B와 D 사이의 C. 아직 살아가고 있으니까. 5월이면 보랏빛 꽃잔디가 봉분 위에서 자라났다.

 같은 동네에 사는 언니와 함께 미영 씨는 호수공원을 걸었다. 나무 데크 위를 걸으며 미영 씨는 호수공원의 호수는 어째서 두 개인가 스스로 물었다. 북호, 남호. 동호, 서호. 수원지는 빗물펌프장.

 호수 아래 묻혀 더 이상
 움직이지 않을 사람들에 대해

사람이 한 번도 죽지 않은 땅이
없을 것이라는 사실에 대해

호수공원 데크에는 수많은 발자국이 찍혀 있다.
미영 씨와 언니는 발자국을 보고 신발의 사이즈를 맞추었다.

호수공원을 둘러싼 오피스텔의 창에는 붉고 하얀 깃발이 붙어 있다. 사주, 타로, 인생 상담. 오피스텔 점성촌. 앉아서 킥보드를 타는 아이들이 사람들 사이를 지나가고 엄마들이 따라가고

미영 씨는 어찌하여 그들은 삼십 년 후의 죽음에 관해 관심을 가지는가 생각하며 걸었다. 걷는 동안 미영 씨와 언니의 발은 한 번도 엇갈리지 않았다. 미영 씨와 미영 씨의 언니는 걸으면서 가까워진다.

서로 만날 때까지 걸었다.

미영 씨는
믿음 끝나지 않는 믿음에 대해 생각했다.
가장 먼 곳에서 다가와 고이는 물

미영 씨의 남편과 딸은 모두 신분당선을 타고 있다고 한다.
전철 어디선가 가족을 만날지도 모르는데
미영 씨의 딸은 이제
중간에서 조금 벗어나 있다고 한다.

미영 씨는 소실점으로 만났다가
다시 멀어지는 언니를 부르며 곧 돌아올지 모른다고 생각했다.
찜닭 밀키트가 따뜻하게 데워진 자기 집 벨을 누를 거라고

아직 가족으로 함께하며

3부

부암(付岩)

우리는 적란운을 바라보고. 이 얕은 구릉지대에 낮게 떠 있는 적란운은 가늘고 건조하고. 구릉은 깨진 살구로 가득한데. 잡초들 사이에서 빗방울을 머금고 녹는. 우리는 우리의 담요로 만든 작은 텐트 안에서. 살구를 바라보는. 초록빛이고 단단하고. 표면에는 짙은 갈색 털이 나 있는.

발견한다. 적란운이 가득 찬 구릉지대에서. 잠들어 있는 새끼 토끼. 손 위에 올려 놓고 다른 손을 포개면 새끼 토끼. 손 틈 사이로 얼굴을 내미는. 늘 움직인다. 새끼 토끼. 덮고 있는 그 따뜻함이. 할로겐램프를 천천히 새끼 토끼에게 비춰. 번지는 그림자. 노란 불빛 아래에서. 희미하게 꿈틀거리는. 새끼 토끼. 손등 위 미지근한 빗방울.

잠들 수 있는 공간. 낮은 이명. 담요 위에 쌓여 가는 동그란 돌들. 그 안락함이 우리의 안식처를 만들 수 있다면. 붙어 있는 돌들. 담요 위에 쌓인 돌들. 우리는 기꺼이 돌 위에 돌을 붙이고. 돌이 붙을 때까지 문지르며. 저녁의 온기. 더 따뜻해진다. 부서지는 빗방울. 무겁게 붙어서 가라앉는. 돌들. 붙은 돌들.

자연사박물관

*

바다악어의 심장 속에 들어가
우리는 시간을 보냈다
서로 다른 판막 속에서
심장의 혈관은 얼굴을 내밀기에 충분히 컸다

이곳에서 이토록 포근한 밤을 보낼 수 있다니
남자가 말했다

나는 눈을 감았다
나의 몸에선 무언가가 흐르고 있었는데
체열이 났다

박물관은 고요했다

*

조나단의 심장은 오래 전에

캘리포니아 동물원의 필립 카로 씨에 의해 적출되었다
6.3미터였던 조나단은 어느 삼월 아침
라임나무 아래에서 익사된 채 발견되었다

심장이 적출된 시체는
인근 소각장에서 태워졌다
가죽을 사용하지 않은 것은
조나단에 대한 최소한의 예의였다

젖은 것들이 생각보다 잘 탔다

소곤소곤 별*

이곳은 사라지는 도시
아이의 목소리가 남아 있다

그물로 뒤덮인
수많은 상자들
상자 속에 담배꽁초
낚싯바늘
두루마리 휴지
나무토막
동전 하나

시간은 느리게 흐르고
나는 노인에게 상자를 건넨다
노인의 목소리는 아이의 목소리를 닮았다

손끝으로 담배를 말며
나는 그림자로 가득 찬 복도를 걷고 있다

그림자는 움직이고

그림자는 조용하다
그림자의 거대한 무덤

그림자에 손을 대자
그림자들은 물방울이 되어 흩어지고
나는 물방울을 상자 속에 묻는다

목소리들이 가득한
어느 상자 속에서
나는 잠에 빠져든다

구겨진 캔이 최후의 삶일지라도
우주의 집은 무너지지 않는 상자가 되어

아무도 없는 별들에서 들려오는
그 속삭임, 속삭임

* 소노 시온의 영화. 2015.

친구에게 빨간 운동화를 선물했다

친구는 멋진 신발을 신으면 부끄러워서 잘 걷지 못한다고 했다 완벽한 풋프린트를 남겨야 할 것 같다고

우리는 고사리가 양옆으로 늘어선 길을 걸었다
진 땅 위에 친구는 앞이 흐린 풋프린트를 남긴다
조금 더 세게 걸어야 해
나는 친구를 꾸짖으며 뒤따라 걷는다

나무 사이로 비치는 오후의 햇살에 눈을 깜빡이며
포자를 머금은 바람에 재채기를 하며

걸을수록 그의 풋프린트는 비뚤어지고
나는 그의 풋프린트 위에 발맞춰 걷는다
나무들 사이로 저녁의 빛이 내려앉는다
진하게 풋프린트를 새기며 나는

이곳의 족흔적을 확인하러 올 어느 범죄심리학자에 대해 생각한다

한 사람과 같은 풋프린트
연구실에서 분석된 우리의 발자국에 대해

잎들이 우리의 목소리를 머금고
흙 위에 우리의 일부가 침투한다
숨을 내쉬며 우리는

— 이곳에선 모든 것이 수상하고
길마다 우리의 흔적으로 가득해

— 그래도 또 모르지
흔적 같은 게 늘 증거가 되지는 않으니까

걷는 동안 날은 저물어 간다
우리의 젖은 풋프린트와
멀리에서 다가와 고이는 빛

나는 그것도 좋다고 했다
꼭 살 수 있을 만큼 살아갈 것이라고

> 작은 보폭으로 천천히 걷는다
고사리들이 뒤집혀 뒷면을 드러내고 있다
어느덧 친구의 뒷모습은 보이지 않고

고사리 앞에 빨간 운동화가 놓여 있다
나는 운동화에 시린 발을 넣는다

길에는 나의 풋프린트만 가득하다

말리부 오렌지색

친구와 싫어하는 전시에 가기로 했다

싫어하는 전시를 함께 보면 조금 다르지 않을까
친구는 내 귀에 입으로 바람을 불어넣었다

막힌 창문에서 엘이디 불빛이 쏟아졌다

아름다운 것들로 가득 찬 전시였다
어두운 방에 나무 하나가 꽂혀 있는
썬 배드에 누워 물 흐르는 소리를 들을 수 있는

나는 색깔만 낸 말리부 오렌지를 손에 들었다
그 차가움이 우리 사이에
오래 머물렀다

물침대에 앉으면
잠깐이라도 배 위에 있는 기분을 느낄 것이라고

우리는 가만히 움직이며

서로의 모습을 폴라로이드 사진기에 담았다
가장 빠르고 물질적인 것은 그것뿐이었어

그것들이 너무 진짜 같아
좀처럼 좋아할 수 없었다

이 전시를 멀리 떠나지 못한 모두에게 바친다

전시의 마지막에는 흰 글씨로 그렇게 적혀 있었다

전시회장에서 나오자
따뜻한 햇빛이 우리에게 쏟아졌다
붉은 빛이 눈꺼풀 안을 가득 채우고

아이들이 킥보드를 타고 갔고
아이들의 엄마들이 아이들을 따라갔다

수많은 사람들의 검은 정수리가 청량하게 빛났다

쏟아지는 은행잎 사이로 발을 내디뎠다
나는 스스로 움직이지 않고 미끄러졌다

발 앞에 있는 연못에서
검은 물이 일렁였다
물 위의 은행잎들이 선명했다

무엇에도 가닿지 않을
생각일 뿐이니까

친구가 전시회장에서 찍은 사진을 꺼냈다

사진 속 우리는 모두 눈을 감고 있었다

지선은 소파를 밖에 내놓는다

소파의 프레임은 작고 단단하다
그곳에서 모두가 한동안 머물렀다
조금씩 튀어나오는 스프링
지선은 홍제천과 가까운 골목에서
자신의 바람을 되뇌며 걷는다

사물은 늘 보이는 것보다 멀리 있다
소파가 앙상해질 때까지
입술이 마를 때까지 하모니카를 분다

오래도록 물소리를 들으면 피로해진다
지선은 차가운 숨을 내뱉는다
자주 병뚜껑을 쥐고 잠이 든다

수많은 사람들의 엉덩이 자국
한낮의 햇살
몸에 그림자가 끌려간다
그림자는 지나가는 곳마다 상처를 남기고
걷는 것은 늦어 버린 것이다

자리를 만들기에는 이미

낡고 지치면 세계가 아름답게 느껴진다
모두 바라보는 것은 같지만, 이것은 끝의 증표
하늘에는 자개 구름이 껴 있다

이곳이 어디라고 발화할 수 있기를
끝날 때까지 이곳에서 구름을 바라볼 수 있기를

판자
스프링
흐르는 천변

지선의 언어가 아니었던 것이
시멘트 안에서 빛난다

아직은 살아 있으니까
지선은 자국을 남긴다

시멘트 담 사이에는 조각난
물이 갇혀 있다
흐르는

무엇도 네 탓은 아니야,
끝도 없는 여름

갇혀서
흐르는 물소리를 들으며
가라앉은 곳으로 가까이 가지 못하길

병뚜껑 자국이 이틀째 손바닥에 남아 있다
지선은 흐르는 곳에서 두고 온 것들을 찾는다

숲과 초원은 아파트가 건설된 후에 만들어졌다

이 도시에 언니가 살았다

창밖 인공 숲과 초원

그곳에 눈이 내리고 있다

눈은 조용하고 눈은 무겁다

나는 미지근한 머그잔을 손에 쥐고

쌓이는 소리를 듣는다

잔디 사이를 채우는 눈을 보면

젖은 곳에서 걷고 싶다

집 밖의 세계에 발을 내디딜 때까지 나는 현관문을 여러 번 열었다 닫았다

> 준비가 되었나요 중얼거리다

현관 앞에서 서성인다

더 이상 언니가 이 도시에서 택시를 몰지 않아도

나는 젖은 채 바깥으로 추방될 수 있다

바깥으로 밀려날 때마다 늘 언니를 떠올렸다

어디선가 언니를 만날지도 몰라

흰 눈에서 가장 눈에 띄는 색은

녹색과 주황색이래

신발을 신다가 빛을 확인한다

언제 어떤 말을 했는지는 잘 기억나지 않았다

﹥ 잿빛 웅덩이가 깊어진다

길이 지워지고

나는 집에 이별을 두고 나간다

바깥의 시간이 나에게 손짓한다

젖은 곳, 젖지 않은 곳 여전히 마르지 못한 계절이 있다

보호구역

밤새 링로드를 달려 보호구역에 갔다. 창문으로 들어오는 바람. 자동차 바퀴에는 낙엽들의 잔해가 붙어 있었다. 젖은 낙엽. 젖은 공기. 오랜만에 돌아온 땅. 아이들이 부족의 명맥만 유지하고 있다고 했다. 부족에서 가장 어린아이가 주머니에서 빛나는 홀을 내밀었다. 홀에 무언가를 넣으면 지킬 수 있다고. 다시 떠나기 전에만 돌려주세요. 홀에서는 희미한 빛이 뿜어져 나오고 있었다. 손바닥 위에 홀을 올려놓고 링로드를 바라보았다. 움직이는 계절이었다. 홀에 검지를 넣었다가 뺐다. 손가락엔 검은 글자들이 선명하게 새겨져 있었다. 보호구역으로 달려오던 차들이 미끄러져 협곡 아래로 떨어졌다.

푸른 살구

오후의 화강암 계단이 빛나고 있습니다
오래 앉아 있으면 발목이 아리고
계단에 조각난 하늘이 고여 있습니다
우수수 떨어지는
살구, 살구들

푸른 살구를 주워서 손에 올려놓습니다
불개미들이 줄지어 기어 나옵니다
나는 불개미들이 손가락 사이로 지나가는 것을 바라봅니다
손톱을 지나 손목으로 구르며 조금씩 상하는

살구의 반은 노랗게 익어 있고, 갈색 점이 나 있습니다
그런 것을 세계라고 불러도 괜찮을까 생각하다가
순긴 빛을 헛니딥니다

조금씩 계단이 내려앉습니다
한 번도 채워진 적 없는 땅은 계속 내려앉고
세계의 안쪽이 비어 가기 시작합니다

살구는 깨지고
햇빛에 익어도 물러지지 않는데

손에 든 살구를 떨어뜨리면
더 이상 그것이 무엇인지
찾을 수 없었습니다
어제는 비가 왔고
헤매는 그것과

불개미들은 떨어진 과육 안에 거주하지 않습니다
자꾸 밖으로 길을 냅니다
계단 위 수많은 일렁임
붉은 세계가 쏟아집니다
습한 공기
표면의 물방울

마르지 않는 곳
다른 세계에서 쏟아져 나오는
달콤한 살점을 맛보다

살구도 멍들고 사람도 멍드는데
불개미는 어떻게 멍이 들까

다시 시작할 수 있을까
그 앞에서 나뒹구는

얼어 있는 숲

 나는 얼어 있는 숲속에 있다. 잣나무들의 죽은 잎을 밟고 서면 떨어지는 솔방울. 청설모들이 움직이는. '왜?'라고 물으면 도무지 되감을 수 없는 장면들이 재생되는.

 얼어 있는 숲. 나는 나를 무서워하지 않는다. 인공 계곡과 해가 멈춰 버린 환한 낮. 복잡하게 엉겨 버린 검은 이끼 덩어리. 나는 그것을 헤치고 사람 한 명을 찾아낸다.

 나이 든 연인들의 발자국을 덮는 개의 발자국. 몸에 피어오르는 이빨 자국들. 죽은 수사들의 잠. 멀리서 다가오는 끝이 보이지 않는 석회동굴 덩어리. 계속해서 가까워지는 얼어 있는 숲.

 처음부터 다시 쓰여야 한다. 젖은 흙 위에 프리즘이 놓여 있다. 바닥에 번지는 빛. 나는 주머니에서 스스로의 처방전을 꺼낸다. 입에 머무는 씁쓸한 알약의 맛. 이끼 속 사람의 숨은 하얗게 퍼져 나가고. 더 이상 발자국이 찍히지 않는 그곳.

계곡 앞 쓰러진 전봇대. 쉴 수 없던 숲에서의 나. 죽음에 가까워진 사람 한 명과 죽지 않은 사람 한 명. 그리고 얼어 있는 숲.

한밤의 음독

텅 빈 방. 스탠드를 켜고 한 줄씩 소리 내어 책을 읽는다. 빙하에 일기장을 던져 넣는 소설. 몇 달간의 기억이 수만 년 동안 사라지지 않도록.* 얼음 속에 노트를 넣으면 정말 영원할까? 나는 옆을 바라보았다. 친구는 나의 어깨에 기대어 종이를 어루만진다.

산이 무너지고 빙하가 덩어리째 쏟아진다. 펭귄들이 빙하의 반대로 뛰어간다. 진심이라는 듯이. 펭귄들의 하얀 배가 빙하 위에 흘러내린다. 그들 중 다친 펭귄들은 하나도 없을 것이라고. 무겁게 가라앉을 수 있도록, 펭귄의 뼈는 단단하게 채워졌다고 한다.

녹는 빙하 안에 고대의 바이러스가 잠자고 있다는 이야기. 가장 온전하게 모습을 보존하고 있는. 파랗다 못해 시리고, 그 안에 모든 것들이. 오염된 모든 것들이. 켜켜이 쌓인 그것들에.

* 최은영, 「한지와 영주」, 『쇼코의 미소』(문학동네, 2016).

젖은 방
열린 창문
차가운 거리

스탠드를 끄자 푸른 불빛이 방 안을 가득 채운다.
우리는 방바닥에 몸을 눕힌다.

친구는 단단한 몸을 웅크리고 마른 기침을 내뱉는다.

아무도 일어나지 않는 밤이었다.
커튼은 이미 검게 젖어 있고

아름답지 않니? 내가 물었고, 친구는

자하(紫霞)

엄마와 나는 2007년산 차를 타고
끝도 없이 긴 언덕을
미끄러져 가고 있었다

어느 오후 내리쬐는 햇살,
공허한 아스팔트를
쪼고 있던 새 한 마리

위험해

엄마와 나는 눈을 감았다 예쁜 새였는데
브레이크를 밟고 뒤를 바라보았다

아닐 거야 차 밑에 공간이 있었는데
사륜구동이니까 또 모르지
그러니까 이 골목에 너무 오래

외할머니 집에 차를 세우고
집에 오는 길에 언덕에서

죽은 쥐
한 마리를 보았다

빛
구름
빛
공기
바람과
다시 빛

스프링클러가
능소화로 가득한
담장 너머로
물을 쏟아내고 있었다

아스팔트 위의
흰 낙서들
젖어도 지워지지 않는 분필

부드러운 새였는데
그 새의 소리를

우리는 끝내 알 수 없었다

암전

어두운 유리병을 들고 계단을 내려갑니다
유리병은 원통이고
유리병은 가볍습니다

천으로 감긴 채
일 리터의 물이
흔들립니다

나는 빛이 들지 않는 계단에서
빗소리를 듣습니다
손바닥에 돋아나는 두드러기를
핥으며

잠시 후 계단 위에 흩어질
유리조각과
물방울 들을 생각하며
내 발을 바라봅니다

아직 잠들지 않은

누군가의 발소리를 들으며

복층 집의 비애와
호기심에
하나둘씩 사라지던
서랍 속 인간들에 대해

낮은 화강암 다리 위에서
가볍게 부수어지던
늦은 봄의 전경들에 대해

약간의 실망감을 느끼며
계단의 끝에서
병 속의 물을 쏟아냅니다

발소리가 멈춥니다
적어도 그 순간
우리 모두 진심이었어 생각했고

계단 아래에는 물이 고여 있습니다
나는 비가 흐르는 소리를 듣습니다

하루가 얼마 남지 않았습니다
자고 일어나면 많은 것을 잃어버렸습니다

수경 재배

자라게 하기 위해
아보카도 씨앗을 쪼갰다
보트를 타고 농장으로 가면 어린잎을 만날 수 있다고
번지는 오후의 빛, 보트 안에서

나는 물 위에 떠내려오는 것들을 바라본다
전기 울타리에 부딪혀 기절한 새들

떨어지는 것들이 만드는 물의 파장

동심원이 넓어진다

잠자리채로 새들을 하나씩 건져 내며
잠든 것들을 위해 곡식을 흘려보낸다

흐르는 물

젖은 깃털을 닦아 내
햇빛에 따갑게 말린다

> 가느다란 새의 다리가 움직인다,
생각했는데

얇은 눈꺼풀 아래 푸른 눈동자
새들은 눈을 감고 꿈꾸지 않는다

어린잎들이 가까이 있다
나란히 바람 따라 기울어지고

떠오르며 움직이는 것들이 있다
씻을수록 선명해질까

바깥의 당신은 그것을 모른다

　부엌에서 술이 끓고 있다. 가장 따뜻한 겨울을 보내기 위해 술을 끓이는 습성. 코끝에 맴도는 과일의 향. 시나몬 스틱. 무릎을 접고 털이 긴 개와 앉아 그것을 바라본다. 그것이 담긴 병. 끝을 조금씩 흔드는 개의 코와. 집 안을 가득 채운 수증기.

　바깥의 당신은 이곳의 향을 모른다. 그 마당에는 연못이 있었다고 한다. 펌프가 있었던 연못. 아주 오래전의 일이다. 밸브에 푸른 녹이 슨 펌프.

　당신은 나에게 말한다. 너는 시작하기 전에만 말한다고. 시작한 후에 아무것도 말하지 않는다는 건. 나는 무언가를 담아내는 데에는 조금의 관심도 없을 것일까. 그 병을 건드리는 데에도 조금의 관심도.

　우리는 우리 사이에 있는 그것에 관한 이야기를 나눈다. 직사각형의 시멘트 구멍. 옛 연못. 달빛. 아무 일도 일어나지 않은 것처럼 다시 어제가 시작되고.

나는 한때 누군가를 닮았던 그것에 대해 생각한다. 그것은 작고 단단하고 집의 향을 머금고 있다. 어느 늦은 밤의 외출. 한 발자국만 나아가면.

서치라이트

국도에 서 있는 지나 씨를 다섯 번째 만나고 태워 주었다
만날 때마다 지나 씨는 다른 색 옷을 입고 있었다
사찰로 가는 도로에서였다

바다 가까운 곳에 차를 세우고
일주문(一柱門)으로 가는 길을 찾았다
일주문까지 풀이 무성하게 자라 있었으니까*

지나 씨, 진하 씨, 진아 씨
불러도 지나 씨는 답을 하지 않았다
잠자리가 앉을 때까지
검지를 곧게 펴고 걸었다

언제나 하늘을 바라보고 있는 지나 씨
맥락 없는 눈빛이 텅 빈 무언가를 움직이게 했다

발목을 스치는
풀들 사이에 사각형의 깊은 구멍이 나 있었다
묘혈에는 서로의 꼬리를 물고 있는

잠자리 두 마리가 있었다

그 안에 나는 유리 상자를 넣었다
유리 상자에 모든 것을 다 넣으려고 했다
그러면 결코 젖을 일이 없다고

무언가가 다가오기 전까지
푸른 빛과
흙에 묻힌 채 잠식해 가던 상자
녹아 가는 송진의 냄새와
서서히 굳어 가던

약수에 발을 담그고 바다를 바라보았다
해송이 많은 고장이었다

---

* "집으로 가는 길은 없어요. 대문까지 풀이 무성하게 자라 있는 거예요."
  버지니아 울프, 「서치라이트」.

4부

남자의 이름은 정수

전북 익산 사람으로
1992년생이다

두 갈래로 나누어진 호수 앞에서 정수에 대한 이야기를 했다
이곳이 바다라고 상정하는 동안 자주 잊어버렸다

호수 뒤의 숲에 대해 지난 겨울에 말라죽어 버린 대나무들
그 아래 비석에 대해

남자의 이름은 정수
호수 앞에 앉아 시디신 매실 원액을 마시며 그 어떤 글자도 읽지 않는다

야생 거위가 인공 호수에 발을 담근다
차가운 발목과 물갈퀴를 드러낸 채 잿빛 새끼들의 검은 이마를 쪼아 대며

남자의 이름은 정수
항상 걷고 싶다는 생각을 한다

아무 말도 하고 싶지 않은 날에는 무거운 가방을 메고 육교를 건넌다
  육교 저편에 있는 호수를 바라보며 물이다 외치기도 한다

남자의 이름은 정수
밤낚시를 즐기며 자주 배꼽부터 젖어 간다

붉은 털실을 삼킨 채 죽어 버린 생선들과 마주할 때

모두에게 따듯한 밥을 먹이고
호수 가운데
목조주택에서 쉬는
남자의 이름은 정수

가라앉는 오리배와
굳어 버린 식탁 위의 우유

잘게 갈린 채 타 버린 곱슬머리

그가 걷기 대회에 참가했다가
잠들어 버린 것을 믿을 수 없지만

구파발

비가 오는 날에는 숨 쉬기 편했다
젖어서 매끈한 바닥을 울리는
우리의 희미한 발소리
가능한 먼 곳을 바라보다
눈을 내리깔면

품에는 젖은 병아리 두 마리가 잠들어 있다
손에 닿는 순간 숨이 죽는 머리 깃털
작게 움직이며
얇은 눈꺼풀을 덮는

이곳에서 가장 아름다운 사람은 아마
따뜻하게 거짓말을 하는 사람
당신과 맞잡은 손
낮은 지저귐

수많은 크레인을 스쳐 걷는 길
잿빛 밤하늘 선명한
구름을 보고

내일의 날씨를 가늠해 보다
걸었던 길로 되돌아간다
다시 시작하자고 하면 계속 다시 시작되는 밤

떨어뜨린 병아리는 날개를
퍼덕이며 보도블록 위에
내려앉는다
주워 담는 커다란 손

가볍게 움직이는 것들이 있다
그 산만한 리듬이

아직 사라지지 않는 저녁의 공기를 입에 머금었다

밤에도 어느 낮처럼
선명하게 보일 것이라고 믿었다

높은 성

네가 창을 두드리는 소리에 눈을 뜬다
어느새 거실은 붉은빛으로 가득하다

네 맨발과 발목에는 모래가 박혀 있다

파도 자국이 남은 해변
창밖에는 조형물들이 세워져 있다
파도인지 공룡인지 혹은 무엇인지

이 지역에 공룡 발자국이 남아 있대 원한다면 내일이라도 보러 갈까?

발자국이 있다고 해서 그것이 공룡이 살았다는 흔적은 아닐지도 몰라
그냥 잠시 머무른 것일지도 우리처럼

너는 잿빛 수건으로 모래를 털며 말했다
마루 위에 서걱서걱 쌓이는 조각들

방 안에 목이 긴 그림자가 드리워진다

해변에 아직도 수많은 비치 타올이 깔려 있다
나는 젖은 흔적들을 바라보다가

달려온 길과 돌아갈 생활에 대해 생각하다
한 번도 돌아갈 만한 생활을 한 적이 없음을 떠올린다

어디선가 유황 냄새가 난다

붉은 파도가 수많은 발자국을 쓸고 간다
어느 것이 네 발자국인지 알 수 없었다

창밖의 빛이 조금씩 사라진다
안은 형광등 불빛으로 환하다

이사

 종로 4가 창신육회에서 거인을 만났다 우연히 합석한 우리는 식탁 위에서 끓고 있는 소고기뭇국 다섯 그릇을 미동도 없이 마셨다 떠들썩한 무리에 섞여 나는 거인의 어깨에 매달려 방으로 돌아왔다

 방은 거인 하나가 들어가기에 충분히 작았다 적당한 일조량이 우리에게 도움이 되고 있었다 바람이 불지 않는 방에서 거인은 짐을 싸는 것을 도와준다고 했다 거인은 느리게 나무 상자에 접시를 담았다 나는 거인의 엉덩이골을 바라보았는데 그곳에는 붉은 털이 촘촘하게 나 있었다

 거인은 어디로 짐을 옮겨야 하는지 묻지 않았다 거인의 물로 거인의 수맥으로 짐을 옮기고 있었다 집 앞, 쌓여 가는 짐 앞에서 우리는 쉽게 무력해졌다 기압이 높은 날씨에는 거인의 활동이 느려진다고 한다

 입에 파이프 물고 거인은 돌계단에 앉아 있었다 방은 더 이상 나의 방이 아니다 내일은 오늘보다도 더 맑을 것이라고 했다

노들

*

유원지에는

빙빙 도는 놀이기구가 가득했다
색 바랜 코끼리 열차에
푸른빛 얼굴을 하고
늘어져 있던 아이들

그 꿈과 환상의 마을에선
기적이 일상이라고 했다

*

오래전 이영의 할아비지는

할머니가 죽은 후
땅을 파면서 시간을 보냈다

그 구덩이에 빗물이 가득 차기까지 기다렸고
저수지에 집이 사라진
사람들이 수없이 많았다고

이영은
떠 있는 오리 보트 위에서
페달을 밟는다
한순간 멈추고
머리를 하나로 묶으면 몸이 무거워졌다

고이는 물속에
희미한 인영(人影)들이 흔들리고
이영은 수면 아래 얼굴들과 눈을 맞추며
천천히 페달을 밟아 나갔다
죽은 자들의 목소리가 할아버지에 대해 묻는다

말이 아닌 것들 중요할 때가 있었다
전달되지 않은 나머지가

물에 비치는
놀이기구들은 쉼 없이 돌아갔다

검은 손들이 이영을 에워쌌다

멈추고 싶을 때마다
숨을 깊게 들이마셨다

마중말

눈을 떴다
잿빛으로 뒤덮인 반쪽의 세상
나는 당신을 만나러 갔다

 당신은 웃으며 이끼로 가득 찬 세 번째 정원으로 나를 안내했는데 대나무들이 듬성듬성 자라고 있었다 뿌리가 이끼에 파묻힌 대나무는 이파리 끝에서부터 조금씩 말라가고 있었다

 대나무의 뿌리는 얕지만 연결되어 있다고 나는 아직 파란 대나무의 반질한 줄기를 손톱으로 벗겨 내며 중얼거렸는데 손끝에 닿은 것은 차가운 유리였을까

 당신 앞에서 나는 아주 많이 말한다 많이 말하면 매력적이게 보이니까 그게 설사 모두가 바라는 어떤 것과는 멀어진다고 해도

 대나무들 사이에는 거울이 있고 거울은 대나무들을 비추고 있다 대나무들은 서로 연결되어 있다 유리와 유리만

큼 반질반질한 줄기들

  하루를 보낸 당신이 이제 하루를 시작하는 나보다
  더 선명하게 웃는다

  웃는 당신과 대나무에 비친 당신과
  대나무에 비친 당신이 비친 거울이

  나는 하루를 보낸 이들과 함께 있었다
  눈앞에서 재가 흩어졌다
  세상이 선명하게 보일 때까지

  나는 마치 잠든 것처럼 숨쉬기를 잘했다

지혜 씨의 무화과

 지혜 씨는 영화의 한 장면에 나왔던 해먹에 자주 잠들어 있었다 해먹은 태국 가이드에게 속아서 산 것으로 코코넛 껍질로 된 몸통을 지니고 있었다 오래된 영화에서 지혜 씨는 혓바늘로 인해 폭면에 시달리는 바부시카였다 코코넛 껍질 몸통에서 잠드는 밤이면 지혜 씨는 북극의 꿈을 꿀 수 있다고 말했는데

 우리는 무화과나무와 의자 사이에 해먹을 매달았다 그것이 해먹을 한층 해먹답게 했다 지혜 씨는 무화과나무와 의자 사이에 매달려서 아무것도 안 먹고 잘도 잤다 무화과는 멍울이 곧 터질 듯 물컹해 보였다 지혜 씨의 머리에 무화과가 떨어지는 상상을 해 보았고 무화과를 주워 푸른 빛 꼭지를 비틀어 깠다 비틀어 깔 때마다 씨앗을 머금은 까만 향이 나

 지혜 씨에게 어울리는 시를 써 주기 위해 나는 지혜 씨를 더 이상 만나지 않았다 지혜 씨와 만나지 않게 된 이후 나는 매일 해가 지기 전에 성곽 옆을 걸었고, 성곽에 앉곤 했다 성곽은 거대한 이끼 덩어리였고 그 이끼는 바

싹 말라 있었으므로 성곽에서 보는 하늘이 아름답지 않았다

    그럴 때마다 나는 지혜 씨를 생각했다 지혜 씨는 연기를 잘했고 나는 걸을 때마다 입을 꼭 다물고 걸었다 지혜 씨의 소식은 오직 지혜 씨를 통해서만 들을 수 있었는데

    지혜 씨가 무화과나무 아래에서 아직 잠들어 있는지는

    영원히 알 수 없었지만

Babushka

숲으로 돌아와 버섯을 땄다

목줄이 감긴 개들이 숲에서 방황했다
여인들은 흰 페인트가 벗겨진
나무 십자가 앞에 앉아
없는 이들의 사진을 어루만졌다

밤이면 검은 옷을 입은 사내들이
경계를 넘어
굴뚝 아래 흐르는
시냇물을 마셨다

성긴 나무 상자 속에
나무딸기 위스키 병을 채웠다
여인들은 달걀로 가득 찬
유모차를 끌고 걸으며
부활절에는 파티를 했다
달걀을 씹으며 노래를 했다

향로에서 쏟아지는 연기를
마음껏 마시며
쓴 쑥, 쓴 쑥*
중얼거리는 동안
숟가락 끝에서 각설탕이 녹아내렸다

숲에서 나는 모든 것은
오염됐지만
건강에 좋죠
그것이 그 숲의 법칙

다시 살아져야죠
내일은 사라질 수 있을 겁니다

파티가 끝나고
개들은 시내를 건넜고
여인들은 숲으로 사라졌다

* 압생트의 주원료. 러시아어로 체르노빌.

> 사내들은
    녹이 슨 대관람차에 앉아
    잠이 들었다

패치워크

 단추 하나를 쥐고 이곳에 왔다. 쇼케이스 안. 실패와 천. 손가락에 힘을 주고 천천히 문을 밀었다. 저녁 하늘에서 내리는 비. 가는 비. 창에 빗방울 맺혔다. 가게 한 켠에 늙은 개가 몸을 웅크리고 있었다. 나는 흔들의자에 앉아 천을 꿰어 붙였다. 천에는 잡초들이 자라고 있었다. 뒤덮은 그 부드러움과 조각난 천으로 만들어진 담요. 늙은 개는 일어나 다리를 절며 난로에 차를 끓였다. 방 안 가득한 그 포근한 풀. 빛은 먼 곳에서 다가와 고였다. 반투명한 컵 안에서 흔들리는 차. 앉아 있어도 발목이 아팠다. 바느질을 멈추고 입에 차를 머금었다. 손바닥에는 검고 동그란 자국이 나 있었다.

윈드밀*

이 나간 유리그릇에 토마토 스프를 담아 마신다
시고 붉은 것으로 속을 채우다 보면
코에서 가장 먼 곳까지 따뜻해질까

창틀 그림자로 조각난 바닥
그 사이에 흘러내리던
빛의 성호

늙은 개의 이마에 비숍을 올려놓았다
한나절이 지나도 비숍은 이마에서 떨어지지 않았다

고이던 투명한 침과
젖은 담요
뭉개져 녹아내리던

남은 비숍 하나가
대각선 방향으로 조금씩 움직인다
조그만 바람 소리와
흔들리는 빛

> 매일 가까워진다
개를 둘러싼 수많은
기물들

움직임이 많은 것이
그 개의 병이라고 했다
움직이다 보면 창밖의 정경조차 희미해진다고

게임이 끝나면
바람 소리가 멎어 있었다

* 윈드밀(Windmill)은 풍차라는 뜻으로, 디스커버드 체크와 체크를 연속으로 반복하여 상대의 말(Material)을 잡는 체스 게임의 전술이다.

양고기 스프

　문을 열자 남자가 서 있었다 나는 남자가 걸어온 거리를 바라보았다 흰 눈 위에 찍힌 발자국에는 조금의 물이 고여 있었다 물은 푸른 빛에 반사된 채 가만히 흔들리고

　남자는 사 차선 도로 위에 만들어진 교통경찰의 빈소를 보았다고 했다 보더콜리의 빈소와 어린 양의 빈소 사이에 있었다고

　오는 내내 가로등이 너무 어두워서 노란 헤드라이트를 켜고 걸었어 그는 양쪽 어깨에 달린 작고 노란 손전등을 켜며 웃었다 나는 남자에게 들어와 양고기 스프를 먹지 않겠냐고 물었고

　남자가 외투를 벗는 순간 바닥에 끈적한 액체가 쏟아졌다 남자는 그것을 외투로 익숙하게 닦아 냈다 붕사로 만든 인형은 옷 속에 넣어야 따뜻한 법이거든

　나는 남자에게 담요를 건넸다

양고기 스프는 혀끝에서 묽어졌다
눈이 내리는 밤이었다

디펜스

 밤 기차를 타고 달리고 있었다. 나의 어깨에 있는 것은 너의 머리였다. 폐광은 가까운 곳. 창밖에서 들어오는 흰 솜털 같은 씨앗, 발아하지 못한 넝쿨. 거대한 철교를 지나면서 눈을 뜨지 않는 네가 천천히 흔들리고 있었다. 창문 아래 씨앗들을 머금은 새벽의 바람 그곳에서 내리면

 물이 가까운 어딘가로 걷는다. 흘러간 뭔가가 우리와 함께 천천히 움직이고 있었다. 잿빛 산 한가운데에 뚫려 있는 검은 구멍. 남겨진 발자국 그 안을 가득 채운 씨앗들

 그 자라지 못할 씨앗들이, 저수지를 뒤덮고 있었다. 새 양말을 벗고 발을 담근다. 향어들이 발가락에 스친다. 저수지 표면 위에 던지는 돌, 그 파동. 나는 발끝부터 차가워진다.

 저수지가 보랏빛 새벽으로 물든다.

 네가 재채기를 하면
 내가 너의 입을 막는다.

좋은 사촌

*

사촌의 비닐하우스에는 짙은 색 괘종시계가 있었다
시계는 하루에 여덟 번, 세 시간씩 움직였다

비닐하우스 안의 온도는
바깥의 온도와 같았다

왜 똑같아?
여기 안은 벌레도 없고
흙이 더 좋기도 해

비닐하우스 표면에는 크고
검은 거미가 매달려 있었다
거미의 꽁무니에는
몇 개의 줄이 촘촘하게 겹쳐 있었다

사촌은 나에게
투명한 선 캡을 주었는데

머리를 잘 정리하고 오지 않은 것이 조금 후회되었다

*

좋은 사촌을 두셨네요

사촌과 칼로 껍질을 깎고 있는데
옆 비닐하우스의 주인이 말했다
네?
이렇게 껍질을 잘 깎는 사촌을 두셨다니
훌륭하네요

우리는 그 말이 둘 중 누구에게
한 말인지 알지 못했다

*

비닐하우스에 누워 밤을 보냈다
사촌은 잠도 자지 않고

숨을 내쉬었다
기억이 나니?
우리 이렇게 함께 잔 것이 처음은 아닌데

머리맡에는
낮에 깎아 놓은 무언가가 있었다

야앵(夜櫻)

*

진선은 고무나무 화분에서 흙을 팠다
초록색 고무장갑을 끼고 있었는데
그것이 뿌리파리로부터 지켜 준다고 했다

그냥 약을 치고 흙으로 덮어 주는 것이 좋겠어요
그렇지 않으면 뿌리가 완전히 삭아 버리니까

나는 맨손으로 속이 빈 뿌리를 만졌다
뿌리에 움푹한 손자국이 났다

움직이는 저녁의 시간

언니 나는 이제 모든 것이 재미없어요
언니가 해 준 말도 놀랍지만 재미가 없고
다 기억하고 이해하는데
언니는 남 걱정밖에 안 하잖아요
그럼 같이 그만 좀 걱정할까요?

> 우리는 온실을 나와
  함께 창경궁을 걸었다

함께 걸은 것이 처음이 아닌데,
이마에서 땀이 흘렀다

나는 손에 묻은 흙을 털었다
흙을 판 것은 진선이었는데,
어째서 내 손에 흙이 묻은 것일까

*

창경원 시절에는
일정 기간 동안 야간에도 개장하여
조명과 빛꽃놀이를 즐겼다고 한다
이를 야앵이라고 불렀고

진선과 나는 그때 켜 놓았던
수많은 호롱불에 대해 생각하다가

우리의 땅이 아니었던 그곳을 산책했다

바람이 불 때마다 나뭇잎들이 소리를 냈다

나무에 맺혀 있던 물방울이 떨어졌다
이런 밤은 너무 서정적이어서
지금이 봄이었으면 좋겠다고 생각했다

좋겠다는 말로 조율되는 일이 있다면
더 이상 어려운 일도 없을 텐데

그런 마음으로 춘당지를 도는 동안
발아래 젖은 구절초 꽃이 스쳤다

유리온실 안에서
뿌리파리가 빛나고 있었다

그 빛이 깜짝 놀랄 만큼 차가워서
나는

작품 해설

불타는 예배당에서 흰 토끼 구하기
—박다래 시어 사전

남진우(시인·문학평론가)

1 상자들

박다래의 시는, 그녀가 속한 세대의 시인들이 대개 그러하듯, 모호함과 불확실함으로 가득 차 있다. 그녀의 시에서 화자나 등장인물은 늘 머뭇대거나 하릴없이 배회하는 모습을 보여 주며 그들이 하는 말들은 앞뒤가 맞지 않거나 정작 구체적 내용이 밝혀지지 않은 상태에서 갑자기 중단된다. 그녀에게 시는 매 순간 자기 주변에서 끊임없이 융기했다가 흩어지고 사라지는 일회적 체험을 간신히 포착해서 간직하는 공명상자에 가깝다.

  이곳은 사라지는 도시

아이의 목소리가 남아 있다

그물로 뒤덮인
수많은 상자들
상자 속에 담배꽁초
낚싯바늘
두루마리 휴지
나무토막
동전 하나

시간은 느리게 흐르고
나는 노인에게 상자를 건넨다
노인의 목소리는 아이의 목소리를 닮았다
　　　　　　　　　　　—「소곤소곤 별」에서

 화자는 상자를 건네받고 또 건네준다. 상자 속엔 별다른 귀중한 물건이 들어 있지 않다. 담배꽁초, 낚싯바늘, 두루마리 휴지, 나무토막, 동전 같은 쓸모없거나 하찮은 잡동사니들뿐이다. 그것은 우연히 상자 속에 담겨 화자의 손에 들어온 것이다. 필연성이나 보편성이 부재한 이 세상에서 아이는 노인이 되고 노인의 목소리엔 아이의 목소리가 반향한다. 시간은 직선적으로 흐르지 않고 끝없이 순환할 따름이다. 사라지는 도시, 느리게 흐르는 시간, 이 불확실한 시공간에서 화자가 하는 모험은 걷는 것뿐이다. 「소곤소곤 별」의 후반부에서 화자는 다음과 같이 토로한다.

> 손끝으로 담배를 말며
> 나는 그림자로 가득 찬 복도를 걷고 있다
>
> 그림자는 움직이고
> 그림자는 조용하다
> 그림자의 거대한 무덤
>
> 그림자에 손을 대자
> 그림자는 물방울이 되어 흩어지고
> 나는 물방울을 상자 속에 묻는다
>
> ―「소곤소곤 별」에서

상자 속에 담긴 물건들이 그러하듯 이 세상에는 실체는 사라지고 목소리나 그림자 같은 비실체-흔적들만이 남아 떠돌고 있다. 만일 우리가 살고 있는 우주가 하나의 상자라면 그것은 그림자로 가득 찬 상자이거나 목소리로 가득 찬 상자이다. 화자는 그림자로 가득 찬 복도를 걸으며 그림자와 접촉한다. 이제 그 상자는 무덤이자 자궁인 공간이 된다. 상자는 그림자의 거대한 무덤이지만 손을 대는 순간 그림자는 신생의 물방울이 되어 흩어지고 그 물방울은 다시 일정한 과정을 거쳐 상자에 묻히는 영구운동을 되풀이한다. 밤하늘에 흩어진 별도 구겨진 캔도 그 자체로 다 하나의 상자이며 상자 속의 물방울들이다. 그 상자 속에서 그림자들과 물방울들은 소곤소곤 수많은 목소리, 사라져 간 존재들의 목소리를 전해 준다.

2 크리스털 정육면체

한 사람의 일생은 상자를 받고 건네고 또 상자 속으로 들어갔다가 나오는 순환적 과정의 연속이 된다. 상자 속에는 수많은 물방울과 그림자 들이 거주하며 이들이 서로에게 건네는 목소리와 신호 들로 가득 차 있다. 한 독일인이 우울한 유럽 날씨에서 벗어나기 위해 여행을 떠났다가 남미의 산골에 정착하게 되는 과정을 그린 다음 작품에서도 상자 이미지는 마술적 능력을 발휘하는 도구로 나타나고 있다.

프란츠 봐이츠 씨는 왼발을 내려놓고 자신의 옆에 놓인 크리스털 정육면체 상자를 바라보았다. 흙먼지가 빛과 함께 상자 안에 고였다.

프란츠 봐이츠 씨가 여행을 하기로 결심한 것은 꽤 오래

전의 일이다. 우중충한 독일의 날씨에서 벗어나고 싶다. 그것이 프란츠 봐이츠 씨를 움직이게 했다. 그는 전 유럽을 돌아다니며 크리스털 정육면체 상자를 창밖에 내다 놓았다. 그것 속에 날씨의 일부를 담을 수 있다고 믿었다. 전 유럽의 날씨를 상자에 담은 어느 날 그는 스페인에서 브라질로 가는 비행기 티켓을 끊었다.

—「로스 안데스」에서

상자 속에 전 유럽의 날씨를 담고, 그것이 달성되는 순간 상자를 들고 먼 나라로 떠나는 여정. 이 크리스털 정육면체는 무한히 큰 세계가 축소돼 담길 수 있는 우주의 미니어처 모델이라고 할 수 있다. 크리스털이라는 투명한 재질과 정육면체라는 완전성을 지향하는 형태는 이 상자가 지닌 초월적 성격을 암시해 주고 있다.

날씨는 지극히 일상적인 것이지만 동시에 완벽한 통제나 예측이 불가능한 복잡계의 대표적 사례이다. 이런 종잡을 수 없는 대상을 단순하면서도 견고한 형태의 육화인 큐브 안에 가둔다는 것은 카오스를 코스모스로 변환시키고자 하는 기도를 보여 준다. 물론 그것은 불가능한 과업이지만 구체적 결실을 기대할 수 없는 일에 대한 희망과 노력이 프란츠 봐이츠 씨로 하여금 유럽과 남아메리카를 횡단하는 긴 여정에 오르게 만들었다고 할 수 있다. 그 여정은 몇 번의 우연을 거쳐 그를 안데스 산맥의 어느 사립

학교에서 독일어를 가르치는 선생이 되게끔 한다. 날씨를 정육면체에 담는다는 과업이 애초에 터무니없는 것이었듯이 그의 인생 또한 예측과 통제를 벗어나 진행된다. 이 시의 숨어 있는 화자는 아마도 인생이란 대기권의 날씨가 그러한 것처럼 불확정적이고 난포착적인 대상이라는 점을 한 편의 우화로 들려주고 있는 것이다.

3 향과 연기

그런 의미에서 시인에게 시 역시 하나의 상자-크리스털 큐브라고 할 수 있다. 파르테논 신전이든 솔로몬의 성전이든 노트르담 성당이든 앙코르 와트든 간에 고대인과 중세인들이 지상(地上)에 기하학적 형태의 신성한 사원을 축조하고 그곳에서 신에게 봉헌하는 제의를 거행했듯이 시인은 지상(紙上)에 언어를 쌓아 올려 그만의 제단을 만든다. 신의 죽음이 선언되고 풍문이 되어 떠돈 다음부터 지상에 더 이상 인간이 믿고 의지할 수 있는 신은 존재하지 않게 되었다. 그럼에도 시인은 사라진 신, 사라져 가는 세계 앞에서 제의를 치러야 한다. 우리는 앞서 인용한 시 「소곤소곤 별」에서 화자가 복도를 걸을 때 "손끝으로 담배를 말며"라고 언급한 사실을 상기할 필요가 있다. 여기서 담배는 단지 개인적 기호의 발현이기를 넘어 신에게 띄워 보내는 그녀만의 메시지일 수도 있지 않을까. 그녀에게 담배 연기는 그 자체로 탈물질화되어 가는 대상으로서, 조금 더 연상을 밀고 나아가자면 신에게 바치는 제물에서 피어오르는 향일 수도 있다.

    나는 인센스를 피운다.

    인센스 위로 물방울이 떨어진다. 물이 새는 방. 매캐하게 번지는 카라 향. 나는 빈 꽃병에 고이는 것을 본다. 잠이 들면 꿈에서 이야기할 수 있겠지. 방 안에는 기억이 있고, 나는 그것을 곱씹고.

    (……)

    나는 쓸 말이 많아. 그건 비극이지. 늘 실패하니까.
    인센스는 타오른다.
    엘리의 말을 삼키며 나는
    빈 꽃병에 상처 난 마음을 욱여넣는다.
―「엘리는 나의 오랜 선생님」에서

이 시의 화자에게 시를 쓴다는 것은 곧 향을 피우는 것이다. 번지는 향과 함께 이야기가, 기억이, 시의 언어가 휘발하며 퍼져 나간다. 설령 시 쓰기가 매번 실패라는 비극으로 끝나고 말지라도, 그래서 손가락에 재만 묻히고 말지라도 향을 태우는 경건한 작업은 포기할 수 없는 것이다. 이처럼 조촐하게 개인적으로 올리는 향이 있는가 하면 다수의 성원들이 모여 희생제물을 태워 바치는 번제의 훈향도 있다. 그 향을 피우는 작업은 때로 거대한 불길-연기를 불러들일 수도 있다.

> 창밖에서 메케한 연기가 들어오고 있다
> ―「기름 부으심을 받은 자」에서

> 다시 해가 떠오를 때까지 불을 피우고 옆에서 타는 냄새를 맡았다. 묵주기도는 계속된다.
> ―「콘셉시온」에서

> 예배당이 타는 꿈을 꿨다 페인트가 불에 녹아내리고,
> ―「열린 문」에서

> 어디선가 유황 냄새가 난다
> ―「높은 성」에서

> 향로에서 쏟아지는 연기를
> 마음껏 마시며
> 쓴 쑥, 쓴 쑥

중얼거리는 동안

숟가락 끝에서 각설탕이 녹아내렸다

―「Babushka」에서

혼자서 오롯이 신에게 공양하는 마음으로 바치는 향에서부터 죽은 자를 추모하는 의식에서 피우는 향에 이르기까지, 또 바부슈카(러시아 정교 신도인 여성들이 머리에 두르는 스카프)가 암시하듯 체르노빌 원전 사고의 비극에서부터 예배당 같은 성소가 불타는 신성모독적인 꿈에 이르기까지 향과 연기는 시인의 작품에서 반복적으로 등장하며 깊은 인상을 남기는 이미지다. 인간은 곡식이든 짐승이든 지상의 생명을 태워 그 향과 연기를 하늘에 올려보내는 방식을 통해 신에게 양식을 제공하고 그들의 소망을 전달해 왔다. 이 세상은 불교 우화를 빌어 말하자면 불타는 집-화택(火宅)이며 기독교의 언어로는 거대한 불구덩이-지옥이다. 지금 이곳은 발화 직전의 은밀한 불기운이 감돌고 있거나 이미 불이 난 다음 모든 것이 타고 녹아내리는 상태에 있다. 그런데도 사람들은 불이 난 줄 모르고 깊은 잠에 잠겨 있다. 때문에 그 불 속에서 불을 태우고 향을 피우는 작업은 계속되어야 하고 또 계속될 수밖에 없다. 왜냐하면 모든 것이 불타 사라지는 그 참혹한 순간이야말로 깨어 있는 자만이 맞닥뜨릴 수 있는 진실의 장면이며 시인이 도달하고자 하는 궁극의 아름다움이 빛나고 있는 지점이기 때문이다.

> 그곳은 너무 아름다워
> 그곳에 있을 때
> 본 것에 대해 말하지 못했다
>
> ―「열린 문」에서

이 세상엔 열린 문 틈새로 슬쩍 보았지만 말하지는 못하는 그런 아름다움이 존재한다. 이어지는 시행에서 화자는 "무언가가 도착하기 전까지 짐작조차 할 수 없었던"이라며, 갑작스럽고 낯선 것의 현현이 주는 감동에 대해 말하고 있다. 예배당이 불타고 신의 죽음이 확인되는 그 순간이 화자에겐 뜻밖의 선물이 도착하는 순간이다.

4 조각들

이처럼 시인은 상자를 열고 들여다보고 다시 다른 상자를 향해 나아가는 동작을 반복한다. 사라져 가는 세계 앞에 무수한 상자들이 떠밀려 온다. 시인이 주워 드는 상자 속엔 사라지는 세계가 남긴 흔적만이 떠돌고 있다.

그 상자는 무한히 커져서 우주 그 자체가 될 수도 있고 역으로 무한히 작아져서 보이지 않는 입자 형태가 될 수도 있다. 그 상자는 집이나 숲 같은 구체적 공간이 되기도 하고 그런 공간을 편력하다 발견하는 사물이 되기도 한다. 크리스털 큐브의 견고한 형태는 순식간에 향에서 피어오르는 연기처럼 무화되어 사라지기 직전의 기체나 한순간 눈길을 사로잡는 빛으로 현상하기도 한다. 시인은 거대한 상자 속에서 방황하며 또 다른 상자들을 주워 드는 일을 지속한다. 시인은 도처에서 자신을 유혹하는 다른 세계의 신호, 그 은밀한 편린들과 조우한다.

    자고 일어나면 구덩이에 금붕어들의 비늘이 떠다녔다. 나는 어째서 그 비늘을 아직 삼키지 않았는지 궁금해하며 반투명한 기름에 비늘을 모아 놓았다. 햇빛이 드는 창문 앞, 금붕어의 비늘은 기름 속에서 천천히 움직였다. 나는 오랫동안 창문을 떠나지 않았다.
—「마른 눈」에서

    시멘트 담 사이에는 조각난
    물이 갇혀 있다
    흐르는
—「지선은 소파를 밖에 내놓는다」에서

    잠시 후 계단 위에 흩어질
    유리조각과

물방울 들을 생각하며
내 발을 바라봅니다

— 「암전」에서

창틀 그림자로 조각난 바닥
그 사이로 흘러내리던
빛의 성호

— 「윈드밀」에서

「소근소근 별」의 상자 속에 담배꽁초나 낚싯바늘, 동전 따위가 남아 있는 것처럼 세상은 발견을 기다리는 미지의 대상들로 가득 차 있다. 그것은 금붕어의 비늘이기도 하고 시멘트 담 사이에 갇힌 물의 일부분이기도 하고 계단 위로 흩어질 유리 조각과 물방울이기도 하다. 이 모든 사소한 조각들 파편들은 시인의 상상 속에서 매 순간 "빛의 성호"로 탈바꿈하는 연금술적 변환의 기적을 이룩한다. 지극히 짧은 찰나의 순간 삭막한 세계가 아름다움과 신성함으로 충만해진다. 시인은 세상이 숨긴 뜻밖의 아름다움에 놀라 "빛나는 밤/ 경외란 이럴 때 쓰는 표현인가"(「우리 셋은 다 같아」)라며 경탄한다. 상자 속의 상자, 나 혼자 발견하고 나 홀로 간직하는 크리스털 큐브. 상상 속에서 세상을 변화시키는 마법의 도구. 이처럼 세상의 일부분-조각이면서 세상을 근본적으로 재구성할 수 있는 원초적 물질을 우리는 다른 시편에서도 다양한 형태로 찾아낼 수 있다.

> 부족에서 가장 어린아이가 주머니에서 빛나는 홀을 내밀었다. 홀에 무언가를 넣으면 지킬 수 있다고. 다시 떠나기 전에만 돌려주세요. 홀에서는 희미한 빛이 뿜어져 나오고 있었다.
> ―「보호구역」에서

> 젖은 흙 위에 프리즘이 놓여 있다. 바닥에 번지는 빛.
> ―「얼어 있는 숲」에서

이 인용들에 등장하는 홀, 프리즘 등은 연금술에서 말하는 현자의 돌(philosopher's stone)의 변주들이다. 대개 빛과 연관되는, 물질을 넘어선 이 물질들은 예기치 못한 시간에 신비스럽게 출몰하며 화자나 등장인물들에게 상처를 치유할 수 있는 힘을 주거나 삶과 세계를 바라보는 관점의 근본적 변화를 제공한다. "희미한 빛을 따라 걸으"면 "한 번도 본 적도 없는 얼굴로 나타나는 것"(「레지나와 함께하는 밤 산책」)이 있는 것이다. 물론 그것은 늘 접근 가능한 영역 서면에 있으며, 나타나는 즉시 바로 사라진다. 설령 그것이 손 안에 들어온다 하더라도 화자나 등장인물들은 그것을 어떻게 사용해야 할지 모른다. 세상이 숨기고 있는 비밀, 수많은 세대를 거듭하며 관통하는 삶의 원리를 이해하고 실천하기에 그들은 아직 미성숙한 젊은 영혼이기 때문이다.

 밤새 택시를 타고 어딘가를 가는 꿈을 꿨어. 택시를 하도 많이 타니까 꿈에서도 택시를 타나 봐. 꽤 긴 시간이었고 생생했어. 우리는 서울의 여기저기 골목을 다녔는데, 여기가 서울인지 아닌지 의심스러울 때도 있었어. 나는 어째서 연주할 줄 모르는 현악기를 들고 있었을까.

 (……)

 오늘 밤에도 그 택시를 탈지 모르지. 집 앞에 강이 흐르고 있는데 그곳을 어떻게 건넜을까. 강가에 미색 돌들이 빛나고 있어. 창밖 연기가 생생해. 누구도 끄지 않는 불. 잠들어 있을 거야. 그 안온한 시간 동안. 택시를 타고 어딘가로 갈 때까지. 모든 것이 타기 전에 다시 어딘가로. 강의 깊은 곳으로.
―「어느 낮처럼 선명하게 보일 것이라고」에서

 위 시에서 화자는 택시를 타고 어디론가 가는 꿈을 반복해서 꾼다. 꿈에서 화자는 연주할 줄도 모르는 현악기를 들고 있다. 그래서 "현악기 위에 내 손가락은 움직이고 있었지만 아무 소리도 나지 않았어. 소리를 만들기 위한 시도가 모두 실패하는 걸까"라는 탄식이 나온다. 크리스털 큐브 같은 빛나는 시각적 물질이 이 시에선 아름다운 화음을 생산하는 현악기로 변주되고 있지만 화자는 그것을 다룰 줄 모른다. 그는 아직 사물의 질서에 통달하지 못한 어프렌티스(apprentice) 가운데 하나일 뿐이기 때문이다. 화자가 택시 창밖으로 시선을 돌리자 강 옆에 늘어선 빛나는 "미색 돌들"이 눈에 들어온다. 시인은 그 돌에 매혹되지만 그것에 접근하려면 "강의 깊은 곳"으로 들어가는 상징적 죽음의 의례를 거쳐야만 한다(그 의례는 사원소의 상상력에 입각해서 조망해 본다면 물과 불, 대지-돌과 연기-바람이 연금술적 결합을 하는 순간으로 나타난다. 이는 다시 택시라는 현대적 기기(器機)와 모든 것을 수용하는 모태(母胎)로서의 강이라는 태고적 원형이 조우하는 순간이기도 하다). 누구도 끄지 않는 불, 그래서 영원히 타오르는 불. 그 불은 멀리서 세상을 지켜보며 타오르는 성화(聖火)이자 생로병사하는 모든 중생들이 감내해야 하는 무명(無明)과 번뇌의 불이다.

꿈인 줄 모르고 꾸는 꿈속의 세상에서 화자가 찾는 "미색 돌"은 존재의 전환과 변용을 꿈꾸는 시인의 소망을 집약한 상징이다. 그 돌은 적대적인 세계에서 삶과 죽음, 이승과 저승, 현실과 환 싱을 가르는 경계석이자 그녀를 다른 세계로 인도하는 문지방이다. 그것은 시인의 무의식적 선택에 따라 완강한 벽, 다시 말해 영혼의 감옥으로 현상할 수도 있고 깨우침/깨어남의 과정에서 마주하게 되는 신비스러운 스승이나 조용한 동반자가 되어 줄 수도 있다. 화자는 아직 다룰 줄 모르는 악기를 안고 불타는 물속으로, 영원한 동시에 덧없는 존재의 시원으로 들어가고자 한다.

5 돌과 토끼

현대문학이 산출한 많은 알레고리적 작품들이 보여 주듯이 상자-돌은 흔히 개인을 가두는 보이지 않는 감옥을 은유한다. 인간은 태어날 때부터 그를 규정하는 법과 질서와 기대에 둘러싸여 있다. 사람들은 대부분 상자의 존재를 의식하지도 못한 채 그 속에서 살아가며 어쩌면 이 상자가 자신을 위해 만들어졌다는 사실조차 깨닫지 못한 상태에서 생을 마감하게 된다. 그러나 상자는 "그림자로 가득 찬 복도"(「소곤소곤 별」)라는 표현이 말해 주듯 막혀 있는 단일한 입방체가 아니라 그/그녀가 통과해야 할 문턱이자 통로이기도 하다.

그의 집에는 많은 통로가 있다. 통로에는 흰 토끼들이 산다. 창밖에서 서치라이트가 비춘다. 흰 토끼들이 일순 멈춰 서고 형광등이 꺼졌다가 켜졌다. 흔들리는 코튼 커튼. 민호의 집에서 빛은 보존된다. 민호는 이것이 현대미술이 될 수 있을지 생각하며 작은 토끼를 품에 안는다.

(……)

민호는 방을 찾는 것을 멈춘다.
가능한 오랫동안 복도에 머물기로 결심한다.

복도를 걸으면 복도가 갈라지고 조금만 걸으면 또 다른 복도가 나타난다. 복도에는 상한 빛이 보존된다.
―「민호에게 집은 현대미술이다」에서

여기서 상자는 하나의 집으로 변주되며 그곳에서 민호라는 등장인물은 흰 토끼들을 따라 달리고 쫓는 게임을 한다. 이 이상한 공간에서 민호는 앨리스처럼 토끼를 따라 미로학습을 하고 있다. 환상적인 공간에서 벌어지는 환상적인 이야기엔 그 어떤 현실적 근거도 제시되지 않는다. 민호의 집은 원근감이 사라지고 고전 기하학으로는 파악이 불가능한, 휘어지고 일그러진 공간이다. 만일 추상화나 개념예술 등을 포함해서 현대미술이 유클리드 기하학이나 뉴튼의 물리학을 넘어선 차원의 세계를 포착하고자 하는 노력의 소산이라면 민호의 집 역시 충분히 그런 세계를 구현한 공간이라 할 수 있다. 안으로 들어갈수록 무한히 넓어지는 공간, 복도들이 끝없이 분기하며 무한히 다른 시공간을 창출하는, 일찍이 보르헤스가 선구적으로 문자화한 멀티플한 세계. 방은 무수히 있지만 민호가 찾는 단 하나의 방은 부재한 바벨의 도서관 같은 세계.

그러나 이 포스트모던한 공간에서 민호의 손이 붙잡는 것은 한 마리 작은 흰 토끼에 불과하다. 수석이나 현악기 대신 이 시에선 다산과 여성성을 상징하는 토끼가 상상의 동반자가 되어 주고 있다.* 가볍게 달리는 토끼를 따라가는 민호의 여정은 내면의 미로를 더듬어 나가는 탐색의 여정이자 고통과 침체와 반복을 견디면서 영혼의 윤회를 거듭하는 과정이다. 그래서 시는 "민호는 사랑할 수 있는 것만 사랑하겠다고 생각하며 복도에서 눈을 감는다."라는 말로 끝을 맺는다. 민호의 일생은 집이란 한정된 공간을 끝내 벗어나지 못하지만 그 집에서 그가 만나는 대상이

---

* 당연한 말이지만 민호의 집은 앨리스의 토끼굴도 아니고 요나의 고래 뱃속도 아니다. 이 시는 제목이 말해 주는 대로 태고적 원형성보다는 현대사회에서 예술의 성격과 위상을 포착하고자 한 작품이기 때문이다. 따라서 토끼를 단지 여성성과 모성의 상징으로 한정 짓는 것은 경계할 필요가 있다. 이 시는 전체 문맥에 비춰 볼 때 민호-집-어둠/토끼-복도-빛이라는 이원적 대립구조 위에 세워져 있다. 토끼의 움직임은 빛의 출현과 더불어 활성화된다.(토끼 이미지가 초점이 되고 있는 또 다른 시 「부암」에서도 토끼는 빛과 연관돼 출몰한다.) 토끼는 빛의 물질적 현현이며 민호를 한곳에 머무름 없이 끝없이 방황하게 만드는 촉매이자 인도자이다. 이 토끼의 복수성과 증식성은 박다래를 포함해서 젊은 세대의 시인들이 모더니즘과 포스트모더니즘의 파고를 넘어서 맞이한 새로운 시대 앞에서 어떤 새로운 예술적 기획을 준비하고 있는가를 암시해 준다. 시의 말미의 "사랑할 수 있는 것만 사랑하겠다"는 민호의 다짐이 시사하듯이 소극적 체념과 소극적 연대의식에 기초한 새로운 윤리와 예술적 시도를 모색하고 있는지도 모른다.

무심한 무생명체(돌)가 아니라 인간에게 반응하는 생명체(토끼)라는 점은 시인의 상상력이 끊임없이 활성화를 지향하고 있음을 나타내 준다.

민호가 사는 집에서 만난 토끼는 다른 시에서는 거미로 나타나기도 하고(「콘셉시온」), 주인공의 곁을 지키는 충직한 늙은 개로 등장하기도 하고(「열린 문」), 빙하 위에 사는 펭귄의 모습으로 현상하기도 한다(「한밤의 음독」).

이 다양한 동물군은 시인의 상상 속에 서식하는 다채로운 욕망의 분신들을 보여 준다. 본능적인 활력에서 영적 직관에 이르기까지 동물들은 인간이 가지지 못한 그 무엇을 소유하고 있으며 우주적 힘과 소통하고 있는 존재들이다. 그 동물들과 교유하며 인간은 자신을 둘러싼 사물의 질서를 점진적으로 파악해 나가게 된다. 이처럼 진화를 거듭한 동반자―적대적이면서 동시에 조력자이기도 한―의 이미지는 다음 시에선 연인이라는 인간의 형상을 하고 나타나기에 이른다. 그 연인은 벌을 먹고 혀가 부은, 평이하게 말해서 입을 잘못 놀려 벌을 받은 처지의 다분히 희극적인 모습을 하고 출현하고 있다.

남자는 벌을 먹을 줄 알았습니다. 남자는 부은 혓바닥을 내밀며 나를 사랑해 달라고 계속 사랑해 달라고 했습니다. 나는 벌을 먹지 말라고 말했지만 남자는 어쩔 수 없다고 말했습니다. 남자는 사랑을 갈구하며 벌을 먹는 존재이기에,

부은 혀로 내 손등을 핥아 주었습니다.

　부은 남자를 안고 뛰었습니다. 부은 혀의 남자. 혀를 입안에 넣지 못하는 남자. 바람에 흔들리는 남자. 얼마나 뛰었을까요? 내 품에는 남자가 없었습니다. 낯익은 하얀 새가 신발 위에 앉아 있었습니다. 하얀 새의 날갯죽지를 잡으며 나는 미안하다고 용서해 달라고 했습니다.
　　　　　　　　　　　　—「우엉차는 우는 사람에게 좋다」에서

　곤충의 일종인 벌과 나쁜 행위에 대해 내려지는 처벌로서의 벌, 이 말장난(pun)을 통해 시인은 상처를 주고 상처를 받으며 사랑이 파탄 나는 과정과 그것을 구제하기 위해 애쓰는 과정을 병치시켜 유머러스하게 보여 주고 있다.(이 말장난은 "우엉차는 우는 사람에게 좋다"는 결미의 발언에 의해 다시 되풀이 된다. 부은 혀의 남자를 잃고 슬픔에 잠긴 화자는 우엉차를 마신다!) 토끼를 안고 헤매는 민호처럼 이 시의 화자는 연인을 품에 안고 뛰지만 그 남자는 홀연히 사라지고 "낯익은 하얀 새가 신발 위에 앉아" 있는 것을 본다. 이 모든 존재의 변화 양태는 오랜 세월 기나긴 카르마의 사슬에 얽혀 만나고 헤어지며 온갖 희노애락을 겪는 인생유전을 보여 준다. 흰 토끼와 하얀 새, 그리고 벌에 쏘여 혀가 부은 남자, 이들은 시인의 상상 속에서 모두 같은 계열체를 형성하고 있다.

이렇게 박다래의 시에서 우리가 만나게 되는, 생명과 무생명을 넘나들며 삶의 비의를 전수해 주는 상징적 존재를 우리는 다음 시에서 요약적으로 확인하게 된다.

   발견한다. 적란운이 가득 찬 구릉지대에서. 잠들어 있는 새끼 토끼. 손 위에 올려 놓고 다른 손을 포개면 새끼 토끼. 손 틈 사이로 얼굴을 내미는. 늘 움직인다. 새끼 토끼. 덮고 있는 그 따뜻함이. 할로겐램프를 천천히 새끼 토끼에게 비춰. 번지는 그림자. 노란 불빛 아래에서. 희미하게 꿈틀거리는. 새끼 토끼. 손등 위 미지근한 빗방울.

   잠들 수 있는 공간. 낮은 이명. 담요 위에 쌓여 가는 동그란 돌들. 그 안락함이 우리의 안식처를 만들 수 있다면. 붙어 있는 돌들. 담요 위에 쌓인 돌들. 우리는 기꺼이 돌 위에 돌을 붙이고. 돌이 붙을 때까지 문지르며. 저녁의 온기. 더 따뜻해진다. 부서지는 빗방울. 무겁게 붙어서 가라앉는. 돌들. 붙은 돌들.

—「부암」에서

시에도 번지는 그림자와 빗방울(물방울)이 교차하며 시인 특유의 공간적 분위기를 조성한다. 비 내리는 날, 담요로 만든 어설픈 텐트에서 램프 불빛에 의지하여 그림자 놀이를 하고 있는 연인이 있다. 빗방울이 들이치는 동안에도 이들은 새끼 토끼 형상의 그림자를 만들어 내고 텐트가 무너지지 않게 담요 위로 점점 더 많은 돌들을 쌓아 올린다. 곤핍한 조건 속에서도 그들은 토끼의 환상과 둥근 돌로 불(온기)을 얻는 시도를 지속함으로써 작은 텐트를 안락하면서도 원초적인 요나적 공간으로 만든다.

토끼와 돌, 한없이 연약한 생명과 주변에 무심하게 버려진 광물 사이에는, 우주적 순환의 시각에서 바라보면, 보이지 않는 혈연관계가 내재해 있다. 과거와 현재가 얽혀 있듯 모든 존재는 서로 상호 침투하면서 매 순간 새로운 세계를 생성한다. 돌을 문질러 온기를 얻듯 두 사람의 밀착 속에 세계는 잠시 새끼 토끼들이 뛰노는 원초적 낙원의 모습을 회복한다.

6 새-부리

시인이 거치는 미로학습은 일상을 배경으로 하고 있음에도 늘 상징적 죽음의 의례를 거치는 방식으로 이루어져 있다. 우리는 앞에서 상자가 물리적 한계를 구성하는 동시에 그것을 넘어선 무한한 세계, 자신의 진정한 모습과 마주하기 위해 지나가야 하는 관문일 수도 있다는 점을 지적했다. 그 상자는 「얼어붙은 숲」에 등장하는 것처럼 차갑고 적막한 죽음의 공간일 수도 있지만 「보호구역」이 말해 주는 것처럼 그 속의 존재를 보호해 주는 안식처일 수도 있다. 마찬가지로 혼돈과 무상함으로 가득 찬 세상에서 상자는 단지 감옥에 그치는 것이 아니라 그가 풀어야 할 수수께끼로 현상하기도 한다.

> 이 사건은 오후 여덟 시 반에 수학학원에서 나선 아이로부터 시작된다 이차방정식을 못 풀어서 나머지 공부를 했던 아이가 하는 일은 개천을 내려다보기 혹은 물 없는 개천 앞에서 머리카락 자르기 개천 바위에 흐트러지는 머리카락 빨간 고무줄 언니 언니 정말 왜 그래 굳은 아이스크림을 들고 지나가는 언니에게 면박 주기 아스팔트에 굳어 있는 녹은 아이스크림 그 위에 새겨진 새의 발자국
> ―「계귀국」에서

사소하다면 사소하다고 할 수 있는 어린 시절의 삽화를 변주하고 있는 이 시는 싫어하는 과목을 공부해야 하는 압박감 때문에 바로 귀가하지 않고 잠시 일탈의 시간을 갖는 아이의 행적을 뒤쫓고 있다. 개천에서 머리카락을 자르거나 아이스크림을 들고 가는 언니에게 면박을 주던 아이는 그 다음 연에서 이상한 닭들로 가득 찬 환상을 만난다. 이는 현실에 대한 불만의 왜곡된 표출로서 아이의 자괴감과 분노를 암시한다. 하지만 상상 속에서 사로잡은 닭을 들고, 그게 애완동물이라 강변하면서, "걱정하

지 마 정말 책임질 거야"라고 선언하는 아이 앞에서 엄마가 하는 말, "너 정말 왜 그래 엄마는 네가 안 그래도 힘들어 엄마는 그냥 힘들어"라는 발언은 아이의 반항기 어린 몸짓을 한순간에 무력화시키면서 도돌이표처럼 자기 앞에 주어진 문제를 풀지 못해 고민하는 시의 시작점으로 아이를 돌려놓는다. 그것이 단순한 수학문제이든 운명의 비의를 풀어 내는 스핑크스의 수수께끼이든, 인간은 성장하면서 매 순간 또 다른 문제, 또 다른 질문 앞에 봉착한다.

1연에서 "아스팔트에 굳어 있는 녹은 아이스크림" 자국은 4연에서 "아스팔트 위에 굴러가는 흰 달걀 그 말랑한 껍질"로 치환되면서 결국 현실을 벗어나기 위해 동원되었던 아이의 환상이 실패로 귀결되었음을 말해 주고 있다. 흔히 현실 초월의 상징으로 여겨지는 새가 이 시에선 고작 담장을 뛰어내리는 닭의 환상으로 현상하고 있다는 점에서 일상으로부터의 탈출을 기도한 아이의 모험은 애초부터 불가능한 수준이었다고 할 수 있을지 모른다.

이처럼 박다래의 시 세계에는 현실 저편으로의 초월이나 숭고가 존재하지 않는다. 아마도 초월의 순간이나 숭고의 현현을 기대하거나 꿈꾸는 것 자체가 일종의 낭만적 허위라는 사실을 시인이 일찌감치 체득했기 때문일 것이다. 대신 그녀의 시에는 건조한 반복, 무심한 되풀이가 있을 뿐이다. 그러한 되풀이는 '버릇'이라고 불리는, 사회학

자라면 아비투스라고 부름직한 반복되는 삶의 패턴 안에 갇힌 인물들로 형상화된다.

>물가에서 무언가를 먹을 때마다
>새에게 뺏기는 버릇
>
>지원과 나는 수많은 새의 원성을 들으며
>운하에서 샌드위치를 먹는다
>때마침 비가 내렸고
>드물게 취하지 않았는데
>
>콕콕
>
>손등에는 물새의 부리 자국이 선명하다
>
>그날, 우리는 낡은 숙소의 침대에 누워
>히치콕의 새를 보았다
>
>히치콕은 마음이 여려 수많은 새에게 공격받았고
>그것이 그의 영화가 되었다
>
>지원은 체리콕을 마셨다

이 모든 것이 공교로웠다

—「콕콕」에서

「계귀국」의 닭이 운하의 물새로 변주되고 있지만, 현실 너머를 가리키는 초월의 상징이 아니라는 점에서 두 새는 동일하다. 그 새는 관광객의 손에 들린 샌드위치를 노리는 새이며 "치킨을 물고 가고" "바케트를 물고 가고" "쥐의 사체를 뜯어먹"는 비천한 "거리의 새"에 지나지 않는다. 그 새는 "끔찍한 소리로 짖으며" 숙소 창문을 맴돌다가 "창문을 열자"마자 방 안으로 들어오는 침입자들이다. 이 무례하고 탐욕스러운 생명체들은 인간의 손등에 "붉은 상처"(「계귀국」, 「콘셉시온」)나 "부리 자국"(「콕콕」)을 남긴다. 이러한 외부의 살벌한 침입과 공격 앞에서 히치콕이나 「콕콕」의 화자처럼 "마음이 여"린 존재들은 어떻게 대응해야 할까. 위 시에 따르면 예술 활동에서 그 가능성을 찾을 수 있다. 히치콕의 걸작 「새」는 영화적 이미지와 서사를 통해 유년기의 트라우마를 극복하려 한 감독의 고투에 의해 탄생되었다. "공격"에서 "공교"로 이어지는 말장난은 종교적 초월을 대신하여 현대인에게 허용된 예술적 승화라는 탈출구를 제시한다. 히치콕에게 그게 영화였다면 위 시의 화자나 지원 같은 등장인물에겐 문학이 그 역할을 해 줄지 모른다.

지원은

작품에서 빛나는 대사를 찾는 것보다

괜찮은 서사에 천착하는 쪽이었다

솔직하게 말해야 해

너는 당하는 쪽이야? 가하는 쪽이야?

아니면 들어주는 쪽이야? 말하는 쪽이야?

아마 당하는 쪽이겠지만 가하는 쪽이라고 말할래

그게 서사적으로 맞으니까

희망하면 변화된 삶을 살 수 있을 거라는 믿음

서사적으로 옳으면 괜찮아진다는 믿음

—「콕콕」에서

시인 자신의 소박한 문학관을 설파하고 있는 구절로도 읽을 수도 있는 위 대목은 세계와 나, 현실과 문학, 능동과 수동, 가해와 피해에 대한 성찰을 거쳐 서사의 힘에 대한 화자의 신뢰를 드러내고 있다. 콕콕이라는 의태어가 암시하듯 외부로부터 자신을 공격해 들어오는 부정적 힘에 맞서 우리는 체리콕을 마시며 히치콕의 영화를 보고 자신의 삶을 변화시킬 수 있는 새로운 서사를 구상한다. 연달아 "콕"을 불러들이는 말장난을 통해 화자는 새의 부리가 쪼는 바로 그 지점 혹은 그 순간이 존재의 전환을 가져오는 핀포인트(pin-point)가 될 수도 있음을 암시한다. 콕 집어 말한다는 식의 일상적 어법에서 유추할 수 있듯이 겨냥한 지점을 정확히 찌르고 박는 동작을 나타내는 부사어 '콕'은 대상의 핵심을 간취하는 정신의 작용을 지시한다. 이렇게 상처의 발생과 서사의 탄생은 동시적이다. "당하는 쪽"이 "가하는 쪽"이 되는 대극의 전환은 그래서 가능해진다. "희망하면 변화된 삶을 살 수 있을 거라는 믿음"이 서사를 낳고 시에 나오는 숱한 화자와 등장인물들의 편력을 낳는 것이다.

7 분신들

이쯤에서 우리가 물어보아야 할 것은 박다래가 선보이는 서사, 즉 시의 의장을 두르고 출현한 서사가 어떤 성격을 지니고 있는가 하는 점이다. 여기서 서정시와 서사의 본질적 특성과 차이에 대한 오랜 이론적 고찰과 비평적 논점들을 복기할 필요는 없을 것이다. 이 시집에 마치 소설이라도 되는 양 등장하는, 고유명사를 부여받은 숱한 인물들, 그리고 그들의 행적과 사건을 뒤쫓는 문장들은 서정적 정지의 순간을 탐구하는 일반적인 시의 문법에서 상당히 벗어나 있다는 인상을 주곤 한다. 그러나 얼핏 소설적 재현의 여정을 따르는 듯이 보이는 박다래의 시 쓰기는 대개의 경우 재현이 무화되는 궤적을 보여 주고 말 뿐이다.

    제임스 스타인 씨는 1924년생으로 아들의 집 일 층 방에 머물렀다. 작은 창문 밖으로 담쟁이넝쿨이 자라고 있었다. 넝쿨에는 수많은 잎이 빽빽하게 돋아 있었는데, 그것은 O. 헨리 소설에 나오는 넝쿨의 처절함과는 거리가 있었다.
―「그것과 무관했다」에서

    마추픽추의 시계탑에 오른발로 서 있는 프란츠 봐이츠 씨는 오랜 여행을 마치고 안데스 산맥을 바라보았다. 그는 항상 씹는담배를 달고 있었는데 그것은 리우데자네이루 공원의 바르쿠 연못에서 주워 온 것으로, 직사각형의 시멘트 바닥과 가장 잘 어울렸다. 그는 높은 곳에서 수많은 관광객과 마주하며 '나는 왜 영화 속 주인공처럼 혼자 광야에서 헤맬 수 없는가'를 한탄했다. 그것은 혼자 여행하는 관광객 특유의 순진함과 깊은 상관관계가 있었다.
―「로스 안데스」에서

    미영씨는 좋은 여동생이었다. 신도시 아파트에서 캡슐커피를 내리며 혼자 죽어 갈 자신의 언니를 떠올렸다. 남편과 딸은 외출했고, 미영씨는 그들에게 일정이 있다는 것을 의심

했다. 창밖으로는 노란 꽃가루가 날렸다. 그것이 저층인 미영씨의 집 창문에 달라붙었다. 노란빛을 통해 창밖을 바라보는 미영씨. 미영씨는 살을 벅벅 긁으며 꽃가루가 만든 문양을 바라보았다.

—「광교」에서

보통의 서정시가 일인칭 독백의 양식을 취하는 것과 달리 그녀의 시에선 수많은 타자들이 다양한 가면을 쓰고 읽는 사람을 방문한다. 존 스몰츠, 제임스 스타인, 필립 슈미츠, 프란츠 봐이츠, 마떼오 페르난도, 엘리, 레지나 같은 외국인명이나 민호, 미영, 이영, 지원, 진선, 지선 같은 보다 익숙한 이름들이 구체성을 부여받고 움직이고 있다. 시인의 상자 속에서 튀어나오는 인명들은 일정한 캐릭터나 출신 배경을 거느리고 있으며 경험적 진실과 관련된 이러저러한 이야기를 들려준다.(물론 시에서 근경을 차지한 인물과 원경에서 어른대는 인물들 사이에 비중의 차이는 존재하지만 서술자의 일관된 목소리의 통제를 받고 움직이는 존재들이란 점에선 공통의 속성을 갖고 있다.) 이들은 대개 자신에게 부여된 고정된 정체성을 거부하고 일상 바깥으로의 이주를 꿈꾸는 존재들이다.

짧은 길이이긴 하지만 등장인물과 사건과 서사적 구성이 있다는 점에서 이런 유형의 시를 '엽편소설'에 빗대 '엽편시'라고 부를 수도 있을 것이다. 그러나 놓치지 말아야

할 점은 이러한 시들이 인물의 행적을 재구성하는 방식으로 쓰였음에도 불구하고 대상의 특성을 부각한다기보다 오히려 모호성이나 불확실성의 안개로 가려 버리는 방식을 취한다는 점이다. 즉 시인은 뭔가를 재현하려는 듯 보이지만 늘 그것이 어긋나고 좌절되는 지점에 도달한다. 그녀의 서사는 어딘가 불충분하고 공백을 남기며 균열을 노출한다. 매 시편마다 시인은 계속해서 기표를 던지고, 서사를 만들어 가고 어떤 결말을 향해 나아가지만 그 끝에는 항상 모호한 실패가, 의미심장한 혼돈이, 부서진 리얼리티의 잔해가 있을 뿐이다. 그 결과 그녀의 시는 대상을 형상화한다기보다 대상으로부터 멀어지기 위해, 그래서 끝내 대상을 무화시키기 위해 쓰여지는 것처럼 보인다.

> 잠긴 다리 옆에 서서
> 흰빛을 보았다, 다만
> 잔상만이 계속되었다
>
> ──「레지나와 함께하는 밤 산책」에서

그녀의 쓰기는 이처럼 지우기와 겹쳐 있다. 그것은 잔상에 대한 글쓰기인 동시에 잔상만을 남기는 글쓰기이다. 구체적 인물의 등장에도 불구하고 시는 점점 추상의 세계로, 비현실의 세계로, 무(無)의 세계로 접근해 간다. 이런 비인칭의 존재에 대해 시인은 다음과 같이 진술하고 있다.

나에게는 출신이랄 게 없지
나는 이곳의 사람 혹은
이곳에서 가장 먼 곳에 있었던 사람

— 「메모리얼 서비스」에서

위 인용은 소멸해 가는 자가 남기는 공허한 목소리를 들려준다. '나'는 물성을 상실한 의미론적 공백 지대에 위치하며 오직 언어를 통해서만 명멸하는 자신의 존재를 간신히 알린다.

8 선명함과 흐릿함

시인이 세상을 확실하게 파악하고 선명하게 드러내고자 함에도 불구하고 세상은 계속해서 모호함과 불확실함 저편으로 물러나는 듯 보인다. 이는 시인에게만 해당되는 개인적 차원의 문제라기보다는 우리 시대, 혹은 그 세대 전체의 문제로 보인다. 당대의 예술가들이 처해 있는 이러한 곤혹스러운 처지와 불확실한 조건을 보여 주는 우화적 인물 '존 스몰츠'보다 이를 더 잘 말해 주는 작품은 없을 것이다.

매일 사물을 따라 그리는 남자가 있었다 그 남자의 이름은 존 스몰츠 버스로 이동하고 팔백 미터 이상 절대 걷지 않는다. 직업은 일러스트레이터 꽃을 따라 그리고 개를 따라 그리고 자전거를 따라 그린다 그가 그리는 그림은 모두 색이 번져 있고 그건 자기가 가만히 선 채 세상을 바라보지 않기 때문이라고 뻔뻔하게 말하며 노약자석에 앉아 발끝으로 구겨진 콜라 캔을 굴리는데 어쩐지 사람이 아닌 것 같기도 했다

(……)

파꽃을 따라 그리기에 실패한 존 스몰츠는 아마존에서 『세밀화로 보는 식물의 세계』를 주문했다 존 스몰츠는 그림을 보고 그림을 따라 그리기 시작했는데 그 그림의 모습이 너무도 선명하여 그는 외곽선이 분명하고 반듯한 그림을 완성하게 되었다 존 스몰츠는 그림을 따라 그리는 사람으로 유명해졌고 그림을 본 출판사에서 그에게 그림을 의뢰했다

―「존 스몰츠」에서

여기 등장하는 존 스몰츠라는 인물은 일러스트레이터면서도 현실 속의 대상을 분명하게 포착하고 재현하는 데 늘 실패한다. 그가 그리는 그림은 "모두 색이 번져 있"기 때문이다. 이어서 시는 이 인물과 가족 간의 관계, 반려견과의 관계, 이웃 간의 관계를 삽화적으로 나열해서 보여준다. 이 모든 관계에서 드러나는 것은 그가 주변 사람과 우호적인 소통을 하지 못하고 있으며 심지어 개조차도 그

가 금지한 영역을 침범하고 그가 그리려던 파꽃을 씹어 먹는 등 그의 일상을 교란하는 방해자로 등장하고 있다는 점이다. 엉뚱하게도 실물을 재현하는 데 실패한 그는 다른 사람의 책에 실린 세밀화를 보고 따라 그린 그림으로 유명해져서 출판사의 의뢰를 받기에 이른다. 그가 따라 그린 그림은 "너무도 선명하"고 "외곽선이 분명하고 반듯"해서 "많은 사람이 좋아하게 되었다"는 것이다. 애초의 예술적 기획이 포기된 지점에서 뜻하지 않게 찾아온 세속적 성공의 기회가 과연 그에게 진정한 만족을 줄 수 있을 것인가, 이를 진정한 예술적 성취라고 볼 수 있을 것인가 하는 등등의 물음에 대한 답변은 미지의 영역에 남겨진다.

이처럼 박다래의 엽편시에 등장하는 인물들은 세계 속에 편안하게 거주하고 있는 듯이 보이지만 실은 세계로부터 소외된 존재들이다. 그들의 거듭된 시도와 방황은 그것이 예정된 실패로 인도되든 의도치 않은 행운으로 연결되든 씁쓸한 뒷맛을 남긴다. 그들의 세계 편력은 끝없이 세계의 표면을 겉도는 과정일 뿐이다.

박다래의 시집을 펼칠 때 만나게 되는 무수한 인물들, 이 고유명사들은 실존감을 박탈당하고 희미한 그림자로 세상을 떠돈다. 그들은 때로 전기 형식을 빌어 생년에서 사망까지 그 일생이 소개됨에도 불구하고 아무런 실재성도 주어지지 않고 흐릿하게 번져 있는 상태로 제시된다. 존 스몰츠를 포함하여 대분분의 등장인물들이 선명성을 추구함에도 불구하고 끝내 선명한 해답이 부재한 세계에 던져져 있다는 사실의 발견과 함께 시가 종료된다. 선명함은 확실한 감각이나 명철한 인식에 토대를 둔 것이 아니라 대중적 감성에의 영합이거나 모방의 모방에 불과한 것으로서 작중인물이 희구한 본질이나 실재로부터 오히려 더 멀어지게 만드는 작용을 한다.

"매일 반질반질한 수석을 닦고/ 어디에 가든 가져올 돌을 찾았다"(「기름 부으심을 받은 자」)라는 구절처럼 시인은 명료함과 확실성을 희망하지만 세상은 연기와 어둠으로 시야를 차단한다. 빛은 늘 희미하고 세상은 늘 흐릿하다. 대상은 윤곽을 상실한 채 그/그녀의 주변을 떠돈다.

> 제 머리의 한 부분은 늘 생각으로 타오르고 있어요.
> 방은 연기로 가득 찬다.
> ―「엘리는 나의 오랜 선생님」에서

> 희미한 빛을 따라 걸으며
> 한 번도 본 적 없는 얼굴로 나타나는 것이 있다
> 이런 게 어둠이라면
> 어둠은 다시 빠져나갈 수 없는 경계인데
> ―「레지나와 함께하는 밤 산책」에서

재현의 선명성이 부정된 세계에서 시인은 희미한 자국

이나 그림자로만 존재하는 대상들과 마주친다. 삶은 완전성과 일관성을 결여하고 있으며 시인의 언어는 대상에 가닿지 못한다. 이에 따라 화자나 등장인물들은 늘 기억과 상상 사이에서 정착하지 못하고 떠돈다. 무엇이 기억이고 무엇이 허구인가. 기억은 어느새 흐릿해지고 허구는 자꾸 번져 간다. 삶과 죽음의 경계, 존재와 비존재의 경계, 빛과 어둠, 꿈과 현실의 경계에서 그들은 환상(環狀) 방황을 계속한다. 앞서 살펴본 「어느 낮처럼 선명하게 보일 것이라고」를 다시 떠올려 보자. 이 시는 제목과 달리 선명함을 상실한 세계를 꿈처럼 부유하며 떠도는 화자의 처지를 보여 준다.

화자는 밤새 택시를 타고 어딘가를 가는 꿈을 꾼다. 꿈의 풍경이 그렇듯이 택시 바깥에 펼쳐진 거리나 택시 기사가 들려주는 말들은 모호하고 불확실하다. 세상은 불타고 있는데 사람들은 자고 있다. 선명함과 흐릿함, 분명함과 희미함의 변증법은 시각의 사각지대에 자리잡은 대상의 점진적 후퇴에 의해 깊은 어둠 속으로 미끄러져 들어간다. 피사체가 사라진 지점에 한없는 심연이 자리하고 있다. 시의 결말부에서 화자는 모든 것이 타기 전에 다시 "강의 깊은 곳으로" 가고 싶다는 은밀한 소망을 피력한다. 그녀가 가고자 하는, 아니, 의식하지도 못하는 상태에서 끝없이 가고 있는 곳. 그녀의 죽음충동이 종국에 도달하고자 하는 곳. 그곳은 어디일까.

9 산책 혹은 순례

이 시인의 시 속에서 화자나 등장인물들은 끊임없이 어딘가를 향해 나아간다. 비행기를 타고 멀리 낯선 외국으로 가는 인물들을 떠올리지 않는다 하더라도 그/그녀들은 계속해서 거리를 걷고 도시를 헤매고 휴양지나 유원지, 전시회장 같은 곳을 찾아 떠난다. 그들은 끊임없이 배회하고, 제자리로 돌아오고, 다시 떠난다. 걷지 않을 때에는 차를 운전하거나 택시나 기차를 타고 이동한다. 그 무엇도 그/그녀를 구속하진 못하지만 그 무엇도 그/그녀를 붙잡아 두지 못한다. 그/그녀의 떠돎엔 겉으로 드러난 목적이 없고 그/그녀가 떠도는 중에 내뱉는 중얼거림엔 의미가 없다. 아니 실은 시인은 선험적으로 주어지는 목적이나 의미 같은 것을 자꾸 비워 내려고 한다. 그/그녀의 시선에 포착된 세상은 어딘가 핀트가 어긋나 있고 부식돼 가고 있으며 사라져 가고 있다.

잠든 동생을 두고 걸었다. 사슴벌레 한 마리가 따라왔다. 같은 곳을 하루에 다섯 번씩 산책하며 차가운 운동기구에 몸을 맡기는 사람들. 운동기구 사이로 투명한 나의 그림자가 드리워지고.

아이들은 내가 지나갈 때만 캐치볼을 한다.

공이 묘목 위로 날아간다.
> ——「아이들은 내가 지나갈 때만 캐치볼을 한다」에서

화자는 '자신이 산책을 할 때마다 아이들이 캐치볼을 하는 모습을 보았다'라고 할 것을 거꾸로 '아이들은 자신이 지나갈 때만 캐치볼을 한다'라고 이야기하고 있다. 이 은밀한 전도엔 동생의 쾌유를 바라는 화자의 마음이 숨어 있으며 아이들의 놀이로부터 차단된 채 집 안에 갇혀 지내야 하는 동생에 대한 배려가 깃들어 있다. 묘목이 높이 자라 커튼 대신 창문을 가려 주기를 바라는 동생의 자폐적 소망은 달성되기 어려울 것이다. "공이 묘목 위로 날아간다"라는 마지막 구절에 담겨 있는 비관적 전망이 이를 말해 준다. 잠든 동생의 빛나는 이마 위를 기어가는 사슴벌레가 산책 나간 화자를 따라온다는 설정은 꿈과 현실의 경계를 무화시키면서 동생의 꿈이 어쩌면 화자의 현실이고 그 반대도 마찬가지로 진실일 수 있음을 말해 준다. 모든 인간에겐 저마다 타자가 있고 타자의 타자가 있다. 무수한 고유명사들의 세계, 그러나 아무런 구체성도 주어지지 않고 특이성도 발생하지 않는 세계. 선명함에 대한 매혹에도 불구하고 선명한 해답이 주어지지 않는 세계. 이런 세계를 오가며 시인은 현상 저편에서 초월을 만나는 것이 아니라 또 다른 가상이 존재하고 있을 뿐이라는 사실과 만난다. 현상은 가상의 연속이며 이

야기 속의 등장인물들은 가면을 바꿔 쓰고 맡은 배역을 연기하는 배우들일 따름이다. 시인은 재현의 무용함을 보여 주기 위해 재현을 시도하며 묘사의 불가능성을 상기시키기 위해 묘사를 밀고 나간다. 시인에게 기승전결로 이어지는 서사의 구축은 그 자체로는 아무런 의미가 없다. 그녀는 서사가 와해되는 모습을 보여 주기 위해 서사를 도입한다. 그것은 "나는 그저 시작될 수 있는 수많은 삶의 경우의 수에 대해 생각했을 뿐"(「두고 온 것」)이라는 언급처럼 끝없이 갈라지며 분기해 나가는 삶의 오솔길 앞에서 시인이 매 순간 고민한 흔적이기도 하다. 삶은 죽음에 이르는 긴 여정이며 산 자들의 산책은 한가롭게 지표면을 서성대는 것에서 그치는 것이 아니라 땅속 깊은 곳, 즉 죽은 다음 묻힐 자리까지 이어져야 하는 것이다.

> 가장 깊은 땅까지
> 걸어가며 이야기를 나눈다
> 발목들의 밤
> 물이 고이는 밤
> 나눌 게 더 이상 없던 밤
>
> ―「메모리얼 서비스」에서

도무지 지나칠 수 없는

다리에 머무르며

죽은 자들의
이뤄지지 않는 소원이 나의 몸을 감싸고
흔들고
　—「가까운 곳에 사찰이 있어 모기가 적은 편은 아니었지만」에서

걷는 동안 날은 저물어 간다
우리의 젖은 풋프린트와
멀리에서 다가와 고이는 빛
　　　　—「친구에게 빨간 운동화를 선물했다」에서

　박다래의 시에 자주 등장하는 산책 모티브는 보들레르 이후 현대문학에서 하나의 클리셰가 되어 버린 도시 산책자(flâneur)의 형상과는 거리가 있다. 그/그녀는 분주한 대도시를 빈둥거리듯 천천히 거닐며 현대문명의 단층선을 탐색하는 만보객이 아니다. 혼돈과 무상함으로 가득 찬 세상에서 그들은 죽음의 신비에 접근하는 입문 의식을 치르고 있다. 그들은 죽은 자의 영토를 지나 신생의 땅으로 나아가고자 한다. 그런 의미에서 그들은 탈신비화와 탈신화화가 대세인 세속 도시에서 아직도 무언가를 찾아 헤매는 순례자들이다. 그들은 더 깊은 진실로 가는 통로의 열쇠를 원하고 물질세계의 공허감을 상쇄시켜 줄 의미의 계시를 찾아

걷는다.* 그들이 보는 풍경, 그들이 읽는 책, 잠 속에서 꾸는 꿈, 이 모든 것 속에 암호화된 메시지가 숨어 있다.

우리는 앞에서 이 시인에게 세상이 불교 우화를 빌어 '불난 집'으로 현상하는 모습을 잠시 살펴본 바 있다. 짓궂은 아이러니를 동원하여 시인은 우리 시대에 예배당이 불타고 있다고 말한다. 왜냐하면 메시아-그리스도라는 말은 원래 "기름 부으심을 받은 자"라는 의미인데 우리 시대에 어떤 교회는 주유소 위에 지어지기도 하기 때문이다. 신성한 힘에 의해 축성되어야 할 공간이 부박한 상업적 거래의 장소로 전락해 버린 실태를 이보다 더 잘 보여 주는 사례도 없을 것이다.

주유소가 교회가 된다는 소문이 돌았다

주유소 땅 아래 기름탱크
그 기름이 다 탈 때까지
주유소의 불은 꺼지지 않는다고

그곳에서 담배를 피우는 게

---

* 박다래의 시에 나오는 신체 부위 가운데 유독 '발목'이 많다는 사실을 주목할 필요가 있다. 걷고 걸으며 그들은 지상에 '풋프린트'를 남긴다. 프로이트 덕분에 유명해진 이름을 하나 거명하자면 그들은 모두 나아가는 자, 그라디바(Gradiva)들이다.

왜 옳지 않은지 설명할 때

처마 아래
흰 비둘기들이 모여들었다

흐
르
는

피죤 밀크

이제는 교회가 되어 버린 주유소에서

기도하는 동안
몇 번이고

가스등이 꺼졌다 켜졌다
— 「기름 부으심을 받은 자」에서

 신성이 사라진 시대. 교회가 들어설 자리와 주유소가 있을 자리가 구분이 되지 않는 시대. 평화를 상징하는 비둘기들이 '피죤 밀크'가 되어 소비되는 시대(다시 등장하는 이 시인 특유의 상큼한 말장난). 교회는 겉으로는 멀쩡하게 보이더라도 실제로는 이미 불타고 있다. "교회는 오래도록 불탔다// 마을엔/ 말라붙은 유기물이 남았고"라는 구절처럼 교회와 교회를 에워싼 세계 모두 무너지고 버려져(동식물 같은 有機物도 기름·가스 같은 油氣物도 문명의 뒤안길에 버려진 遺棄物이 된다는 중의어적 말장난) 폐허가 되어 가고 있다. 그 불은 신성과 정화를 상징하는 불이 아니라 무분별한 환락으로 인해 소모되는 불이며 끝내 도래할 심판을 예고하는 불이다. 그래서 시인은 예배당이 타서 재가 되는 것을 묵묵히 지켜보는 꿈을 꾸기도 하고

> 예배당이 타는 꿈을 꿨다 페인트가 불에 녹아내리고,
> 지붕널이 맨 마지막에 깨졌다
> 그 뒤로 펼쳐진 가문비나무 숲
>
> 타서 재가 될 때까지 그곳에 서 있었다
> ─「열린 문」에서

밤 산책 중에, 사방에, 방화와 죽음의 기운이 미만해 있음을 이야기하기도 한다.

> 사방에서 휘발유 냄새가 났다
> 다시 돌아오는 길에 우리는 없을 거예요

산 너머에서 누군가 울고 있었다

어느 신의 소리라는 것을 알았다
—「레지나와 함께 하는 밤 산책」에서

화자의 전언에 따르면 세상은 몰락을 향해 나아가고 있지만 그것을 알아차리는 사람은 별로 없다. 저 너머에서 누군가 그것을 애도하는 울음소리를 내고 있다. 그것이 "신의 소리"라면 그 신은 과연 어떤 신일까.

10 흔적들/떨림들

지금까지 논의해 온 바처럼 의미의 부재 속에서, 일상의 공허함 속에서 시인은 고독한 주체로서 그 무언가를 찾아 나선다. 주변 세계를 새롭게 구성하는 방식으로 허구를 창안하고 갈수록 희미해지는 기억을 배열한다. 그녀는 계속 돌아다니지만 그 모든 편력은 실은 내면으로의 후퇴이며 외적 세계에 대한 임의적인 수정이라 할 수 있다. 시인은 끊임없이 의식의 파도를 타고 밀려오는 외부 현실이 우리에게 주어진 모든 것인 동시에 실은 언어적 구성물에 불과하다는 점을 암시하고 있다. 그러나 이런 언급이 자칫 그녀의 시를 어둡고 무거운 이미지와 비관적 정서로 가득 찬 상상의 산물로 받아들이게 한다면 이보다 더한 오해도 없을 것이다. 모호하고 불확실한 세계에 직면해서 박다래는 즐거운 허구의 세계를 창안하는 그녀만의 유희를 계속해 오고 있다. 시인이 시 속에 풀어놓은 무수한 주체들은 세상의 선입견과 몰이해에서 놓여나 떠도는 시인의 유령적 분신들이다. 그 유령들은 세상을 떠돌며 희미한 빛을 찾고, 신성의 여린 조각들을 주워 든다. 그렇게 수집된 조각들에 구체적인 실체성이 내장돼 있는 것은 아니다. 그것은 그냥 덧없이 사라지는 흔적들이며 잠시 다가왔다 멀어지는 떨림들, 진동 혹은 파장에 불과하기 때문이다.

>마른 보랏빛 꽃잎이 흩날리는 계절이었다
>늙은 교수는 등나무 아래에서 수업을 했다
>
>여러분이 지금 느끼고 있는 떨림이
>수십만 년 전의 그 작은 파동일지도 모릅니다
>
>―「야외 수업」에서

>이 시역에 공룡 발자국이 남아 있대 원한다면 내일이라도 보러 갈까?
>
>발자국이 있다고 해서 그것이 공룡이 살았다는 흔적은 아닐지도 몰라

그냥 잠시 머무른 것일지도 우리처럼

—「높은 성」에서

  시인은 자기 주변을 스치고 지나가는 자연적이거나 인공적인 온갖 사물과 말과 상념들이 남긴 자취들을 추적하고 그 인상을 기록함으로써 그녀만의 유령학(hauntology)을 조금씩 구축해 나가고 있다. 그녀가 찾는 신은 현세의 권능과도 내세의 은총과도 상관없는 신이며 우리가 지상에 잠시 머무는 동안 불가피하게 존재의 심연과 대면할 때마다 어쩔 수 없이 떠올리게 되는 신이다. 그/그녀는 불타며 소멸해 가는 이상한 세계에서 작은 토끼 한 마리를 안고 그 미로를 빠져나가려고 하는 앨리스들이다. 그들은 시련이 곧 수련인 수업시대를 거치고 있다. 그/그녀에게 어떤 부름(call)이 사명(misson)처럼 전해지는 순간이 조만간 찾아오기를 기대해 보자.

지은이 박다래

1991년 서울에서 태어났다. 2022년 《현대시》 신인상을 받으며 작품 활동을 시작했다.

우엉차는 우는 사람에게 좋다

1판 1쇄 찍음 2025년 7월 25일
1판 1쇄 펴냄 2025년 8월 8일

지은이 박다래
발행인 박근섭, 박상준
펴낸곳 (주)민음사

출판등록 1966. 5.19. (제16-490호)
서울특별시 강남구 도산대로1길 62(신사동)
강남출판문화센터 5층 (06027)
대표전화 02-515-2000/ 팩시밀리 02-515-2007
www.minumsa.com

ⓒ 박다래, 2025. Printed in Seoul, Korea

ISBN 978-89-374-0955-4 (04810)
　　　978-89-374-0802-1 (세트)

* 이 책은 서울특별시, 서울문화재단 '2024년 첫 책 발간 지원사업'의 지원을 받아 발간되었습니다.
* 잘못 만들어진 책은 구입처에서 교환해 드립니다.

민음의 시
목록

- 001 **전원시편** 고은
- 002 **멀리 뛰기** 신진
- 003 **춤꾼 이야기** 이윤택
- 004 **토마토 씨앗을 심은 후부터** 백미혜
- 005 **징조** 안수환
- 006 **반성** 김영승
- 007 **햄버거에 대한 명상** 장정일
- 008 **진흙소를 타고** 최승호
- 009 **보이지 않는 것의 그림자** 박이문
- 010 **강** 구광본
- 011 **아내의 잠** 박경석
- 012 **새벽편지** 정호승
- 013 **매장시편** 임동확
- 014 **새를 기다리며** 김수복
- 015 **내 젖은 구두 벗어 해에게 보여줄 때** 이문재
- 016 **길안에서의 택시잡기** 장정일
- 017 **우수의 이불을 덮고** 이기철
- 018 **느리고 무겁게 그리고 우울하게** 김영태
- 019 **아침책상** 최동호
- 020 **안개와 불** 하재봉
- 021 **누가 두꺼비집을 내려놨나** 장경린
- 022 **흙은 사각형의 기억을 갖고 있다** 송찬호
- 023 **물 위를 걷는 자, 물 밑을 걷는 자** 주창윤
- 024 **땅의 뿌리 그 깊은 속** 배진성
- 025 **잘 가라 내 청춘** 이상희
- 026 **장마는 아이들을 눈뜨게 하고** 정화진
- 027 **불란서 영화처럼** 전연옥
- 028 **얼굴 없는 사람과의 약속** 정한용
- 029 **깊은 곳에 그물을** 남진우
- 030 **지금 남은 자들의 골짜기엔** 고진하
- 031 **살아 있는 날들의 비망록** 임동확
- 032 **검은 소에 관한 기억** 채성병
- 033 **산정묘지** 조정권
- 034 **신은 망했다** 이갑수
- 035 **꽃은 푸른 빛을 피하고** 박재삼
- 036 **침엽수림에서** 엄원태
- 037 **숨은 사내** 박기영
- 038 **땅은 주검을 호락호락 받아 주지 않는다** 조은
- 039 **낯선 길에 묻다** 성석제
- 040 **404호** 김혜수
- 041 **이 강산 녹음 방초** 박종해
- 042 **뿔** 문인수
- 043 **두 힘이 숲을 설레게 한다** 손진은
- 044 **황금 연못** 장옥관
- 045 **밤에 용서라는 말을 들었다** 이진명
- 046 **홀로 등불을 상처 위에 켜다** 윤후명
- 047 **고래는 명상가** 김영태
- 048 **당나귀의 꿈** 권대웅
- 049 **까마귀** 김재석
- 050 **늙은 퇴폐** 이승욱
- 051 **색동 단풍숲을 노래하라** 김영무
- 052 **산책시편** 이문재
- 053 **입국** 사이토우 마리코
- 054 **저녁의 첼로** 최계선
- 055 **6은 나무 7은 돌고래** 박상순
- 056 **세상의 모든 저녁** 유하
- 057 **산화가** 노혜봉
- 058 **여우를 살리기 위해** 이학성
- 059 **현대적** 이갑수
- 060 **황천반점** 윤제림
- 061 **몸나무의 추억** 박진형
- 062 **푸른 비상구** 이희중
- 063 **님시편** 하종오
- 064 **비밀을 사랑한 이유** 정은숙
- 065 **고요한 동백을 품은 바다가 있다** 정화진
- 066 **내 귓속의 장대나무 숲** 최정례
- 067 **바퀴소리를 듣는다** 장옥관
- 068 **참 이상한 상형문자** 이승욱
- 069 **열하를 향하여** 이기철
- 070 **발전소** 하재봉
- 071 **화염길** 박찬
- 072 **딱따구리는 어디에 숨어 있는가** 최동호
- 073 **서랍 속의 여자** 박지영
- 074 **가끔 중세를 꿈꾼다** 전대호
- 075 **로큰롤 해븐** 김태형
- 076 **에로스의 반지** 백미혜
- 077 **남자를 위하여** 문정희
- 078 **그가 내 얼굴을 만지네** 송재학
- 079 **검은 암소의 천국** 성석제
- 080 **그곳이 멀지 않다** 나희덕
- 081 **고요한 입술** 송종규
- 082 **오래 비어 있는 길** 전동균

083	미리 이별을 노래하다 차창룡	125	뜻밖의 대답 김언희
084	불안하다, 서 있는 것들 박용재	126	삼천갑자 복사빛 정끝별
085	성찰 전대호	127	나는 정말 아주 다르다 이만식
086	삼류 극장에서의 한때 배용제	128	시간의 쪽배 오세영
087	정동진역 김영남	129	간결한 배치 신해욱
088	벼락무늬 이상희	130	수탉 고진하
089	오전 10시에 배달되는 햇살 원희석	131	빛들의 피곤이 밤을 끌어당긴다 김소연
090	나만의 것 정은숙	132	칸트의 동물원 이근화
091	그로테스크 최승호	133	아침 산책 박이문
092	나나 이야기 정한용	134	인디오 여인 곽효환
093	지금 어디에 계십니까 백주은	135	모자나무 박찬일
094	지도에 없는 섬 하나를 안다 임영조	136	녹슨 방 송종규
095	말라죽은 앵두나무 아래 잠자는 저 여자 김언희	137	바다로 가득 찬 책 강기원
		138	아버지의 도장 김재혁
096	흰 책 정끝별	139	4월아, 미안하다 심언주
097	늦게 온 소포 고두현	140	공중 묘지 성윤석
098	내가 만난 사람은 모두 아름다웠다 이기철	141	그 얼굴에 입술을 대다 권혁웅
099	빗자루를 타고 달리는 웃음 김승희	142	열애 신달자
100	얼음수도원 고진하	143	길에서 만난 나무늘보 김민
101	그날 말이 돌아오지 않는다 김경후	144	검은 표범 여인 문혜진
102	오라, 거짓 사랑아 문정희	145	여왕코끼리의 힘 조명
103	붉은 담장의 커브 이수명	146	광대 소녀의 거꾸로 도는 지구 정재학
104	내 청춘의 격렬비열도엔 아직도 음악 같은 눈이 내리지 박정대	147	슬픈 갈릴레이의 마을 정채원
		148	습관성 겨울 장승리
105	제비꽃 여인숙 이정록	149	나쁜 소년이 서 있다 허연
106	아담, 다른 얼굴 조원규	150	앨리스네 집 황성희
107	노을의 집 배문성	151	스윙 여태천
108	공놀이하는 달마 최동호	152	호텔 타셀의 돼지들 오은
109	인생 이승훈	153	아주 붉은 현기증 천수호
110	내 졸음에도 사랑은 떠도느냐 정철훈	154	침대를 타고 달렸어 신현림
111	내 잠 속의 모래산 이장욱	155	소설을 쓰자 김언
112	별의 집 백미혜	156	달의 아가미 김두안
113	나는 푸른 트럭을 탔다 박찬일	157	우주전쟁 중에 첫사랑 서동욱
114	사람은 사랑한 만큼 산다 박용재	158	시소의 감정 김지녀
115	사랑은 야채 같은 것 성미정	159	오페라 미용실 윤석정
116	어머니가 촛불로 밥을 지으신다 정재학	160	시차의 눈을 달랜다 김경주
117	나는 걷는다 물먹은 대지 위를 원재길	161	몽해항로 장석주
118	질 나쁜 연애 문혜진	162	은하가 은하를 관통하는 밤 강기원
119	양귀비꽃 머리에 꽂고 문정희	163	마계 윤의섭
120	해질녘에 아픈 사람 신현림	164	벼랑 위의 사랑 차창룡
121	Love Adagio 박상순	165	언니에게 이영주
122	오래 말하는 사이 신달자	166	소년 파르티잔 행동 지침 서효인
123	하늘이 담긴 손 김영래	167	조용한 회화 가족 No. 1 조민
124	가장 따뜻한 책 이기철	168	다산의 처녀 문정희

169	타인의 의미 김행숙		212	결코 안녕인 세계 주영중
170	귀 없는 토끼에 관한 소수 의견 김성대		213	공중을 들어 올리는 하나의 방식 송종규
171	고요로의 초대 조정권		214	희지의 세계 황인찬
172	애초의 당신 김요일		215	달의 뒷면을 보다 고두현
173	가벼운 마음의 소유자들 유형진		216	온갖 것들의 낮 유계영
174	종이 신달자		217	지중해의 피 강기원
175	명왕성 되다 이재훈		218	일요일과 나쁜 날씨 장석주
176	유령들 정한용		219	세상의 모든 최대화 황유원
177	파묻힌 얼굴 오정국		220	몇 명의 내가 있는 액자 하나 여정
178	키키 김산		221	어느 누구의 모든 동생 서윤후
179	백 년 동안의 세계대전 서효인		222	백치의 산수 강정
180	나무, 나의 모국어 이기철		223	곡면의 힘 서동욱
181	밤의 분명한 사실들 진수미		224	나의 다른 이름들 조용미
182	사과 사이사이 새 최문자		225	벌레 신화 이재훈
183	애인 이응준		226	빛이 아닌 결론을 찢는 안미린
184	얘들아, 모든 이름을 사랑해 김경인		227	북촌 신달자
185	마른하늘에서 치는 박수 소리 오세영		228	감은 눈이 내 얼굴을 안태운
186	ㄹ 성기완		229	눈먼 자의 동쪽 오정국
187	모조 숲 이민하		230	혜성의 냄새 문혜진
188	침묵의 푸른 이랑 이태수		231	파도의 새로운 양상 김미령
189	구관조 씻기기 황인찬		232	흰 글씨로 쓰는 것 김준현
190	구두코 조혜은		233	내가 훔친 기적 강지혜
191	저렇게 오렌지는 익어 가고 여태천		234	흰 꽃 만지는 시간 이기철
192	이 집에서 슬픔은 안 된다 김상혁		235	북양항로 오세영
193	입술의 문자 한세정		236	구멍만 남은 도넛 조민
194	박카스 만세 박강		237	반지하 앨리스 신현림
195	나는 나와 어울리지 않는다 박판식		238	나는 벽에 붙어 잤다 최지인
196	딴생각 김재혁		239	표류하는 흑발 김이듬
197	4를 지키려는 노력 황성희		240	탐함과 소년과 계절의 서 안웅선
198	.zip 송기영		241	소리 책력冊曆 김정환
199	절반의 침묵 박은율		242	책기둥 문보영
200	양파 공동체 손미		243	황홀 허형만
201	온몸으로 밀고 나가는 것이다 서동욱·김행숙 엮음		244	조이와의 키스 배수연
			245	작가의 사랑 문정희
202	암흑향暗黑鄉 조연호		246	정원사를 바로 아세요 정지우
203	살 흐르다 신달자		247	사람은 모두 울고 난 얼굴 이상협
204	6 성동혁		248	내가 사랑하는 나의 새 인간 김복희
205	응 문정희		249	로라와 로라 심지아
206	모스크바예술극장의 기립 박수 기혁		250	타이피스트 김이강
207	기차는 꽃그늘에 주저앉아 김명인		251	목화, 어두운 마음의 깊이 이응준
208	백 리를 기다리는 말 박해람		252	백야의 소문으로 영원히 양안다
209	묵시록 윤의섭		253	캣콜링 이소호
210	비는 염소를 몰고 올 수 있을까 심언주		254	60조각의 비가 이선영
211	힐베르트 고양이 제로 함기석		255	우리가 훔친 것들이 만발한다 최문자

256	사람을 사랑해도 될까 손미	298	몸과 마음을 산뜻하게 정재율
257	사과 얼마예요 조정인	299	오늘은 좀 추운 사랑도 좋아 문정희
258	눈 속의 구조대 장정일	300	눈 내리는 체육관 조혜은
259	아무는 밤 김안	301	가벼운 선물 조해주
260	사랑과 교육 송승언	302	자막과 입을 맞추는 영혼 김준현
261	밤이 계속될 거야 신동옥	303	당신은 오늘도 커다랗게 입을 찢으며 웃고 있습니 신성희
262	간절함 신달자		
263	양방향 김유림	304	소공포 배시은
264	어디서부터 오는 비인가요 윤의섭	305	월드 김종연
265	나를 참으면 다만 내가 되는 걸까 김성대	306	돌을 쥐려는 사람에게 김석영
266	이해할 차례이다 권박	307	빛의 체인 전수오
267	7초간의 포옹 신현림	308	당신의 세계는 아직도 바다와 빗소리와 작약을 취급하는지 김경미
268	밤과 꿈의 뉘앙스 박은정		
269	디자인하우스 센텐스 함기석	309	검은 머리 짐승 사전 신이인
270	진짜 같은 마음 이서하	310	세컨드핸드 조용우
271	숲의 소실점을 향해 양안다	311	전쟁과 평화가 있는 내 부엌 신달자
272	아가씨와 빵 심민아	312	조금 전의 심장 홍일표
273	한 사람의 불확실 오은경	313	여름 가고 여름 채인숙
274	우리의 초능력은 우는 일이 전부라고 생각해 윤종욱	314	다들 모였다고 하지만 내가 없잖아 허주영
		315	조금 진전 있음 이서하
275	작가의 탄생 유진목	316	장송행진곡 김현
276	방금 기이한 새소리를 들었다 김지녀	317	얼룩말 상자 배진우
277	감히 슬프지 않을 수 있겠습니까? 여태천	318	아기 늑대와 걸어가기 이지아
278	내 몸을 입으시겠어요? 조명	319	정신머리 박참새
279	그 웃음을 나도 좋아해 이기리	320	개구리극장 마윤지
280	중세를 적다 홍일표	321	펜 소스 임정민
281	우리가 동시에 여기 있다는 소문 김미령	322	이 시는 누워 있고 일어날 생각을 안 한다 임지은
282	써칭 포 캔디맨 송기영	323	미래슈퍼 옆 환상가게 강은교
283	재와 사랑의 미래 김연덕	324	개와 늑대와 도플갱어 숲 임원묵
284	완벽한 개업 축하 시 강보원	325	백합의 지옥 최재원
285	백지에게 김언	326	물보라 박일일
286	재의 얼굴로 지나가다 오정국	327	기대 없는 토요일 윤지양
287	커다란 하양으로 강정	328	종종 임경섭
288	여름 상설 공연 박은지	329	검은 양 세기 김종연
289	좋아하는 것들을 죽여 가면서 임정민	330	유물론 서동욱
290	줄무늬 비닐 커튼 채호기	331	나의 인터넷 친구 여한솔
291	영원 아래서 잠시 이기철	332	집 없는 집 여태천
292	다만 보라를 듣다 강기원	333	제너레이션 김미령
293	라흐 뒤 프루콩 드 네주 말하자면 눈송이의 예술 박정대	334	화살기도 여세실
		335	우엉차는 우는 사람에게 좋다 박다래
294	나랑 하고 시픈게 뭐이여? 최재원		
295	해바라기밭의 리토르넬로 최문자		
296	꿈을 꾸지 않기로 했고 그렇게 되었다 권민경		
297	이건 우리만의 비밀이지? 강지혜